HERNANDES DIAS LOPES

NÃO DESISTA DE VOCÊ

VIVA UMA VIDA QUE FAÇA SENTIDO

2ª edição: fevereiro de 2015
4ª reimpressão: novembro de 2023

Revisão
Regina Aranha
João Guimarães
Norma C. Braga

Capa
Maquinaria Studio

Diagramação
Atis Design
Catia Soderi

Editor
Aldo Menezes

Coordenador de produção
Mauro Terrengui

Impressão e acabamento
Imprensa da Fé

Editora Hagnos Ltda.
Rua Geraldo Flausino Gomes, 42, conj. 41
CEP 04575-060 – São Paulo, SP
Tel.: (11) 5990-3308

E-mail: hagnos@hagnos.com.br
Home page: www.hagnos.com.br

Editora associada à

Dados Internacionais de Catalogação na Publicação (CIP)
(Câmara Brasileira do Livro, SP, Brasil

Lopes, Hernandes Dias

Não desista de você: viva uma vida que faça sentido / Hernandes Dias Lopes. – São Paulo: Hagnos, 2007.

ISBN 978-85-7742-004-9

1. Comportamento suicida 2. Suicídio - Aspectos morais e éticos 3. Suicídio - Aspectos sociológicos 4. Suicídio - Fatores de risco 5. Suicídio - Prevenção I. Título.

06-9100 CDD-362:28

Índices para catálogo sistemático:
1. Suicídio : Causa, mitos e prevenção :
Problemas sociais 362:28

Dedicatória

Dedico este livro aos médicos, psicólogos, capelães, pastores e conselheiros cujo nobre trabalho tem sido terapeutizar os doentes, aconselhar os atormentados de espírito e consolar os que choram.

Sumário

Prefácio

Era uma tarde, de um dia comum da semana. Atravessava de carro a terceira ponte de Vitória, de volta para minha casa, quando me deparei com um grande engarrafamento no meio da ponte. Com o trânsito parado, os motoristas desciam de seus automóveis para ver a causa do congestionamento.

Para minha tristeza, o motivo era um rapaz, imóvel no parapeito da ponte, a quem os bombeiros tentavam persuadir a não dar cabo de sua vida. Doeu profundamente meu coração tal cena e, principalmente, a atitude de desdém e desumanidade da multidão ao discutir o caso – algo difícil de ser aceito.

Enquanto orava e ligava para amigos e familiares cristãos pedindo intercessão por aquele pobre desesperado, pessoas gritavam ao meu lado: *Pula! Pula! Acaba logo com essa palhaçada! Tenho mais o que fazer! Se me der um real, eu empurro!*

Fechei o vidro do carro, pois aquelas palavras me agrediam... e ali estava eu, sem ação, diante daquela cena. Lembrei-me de Jesus em sua crucificação, à espera do julgamento, enquanto o povo gritava: "Crucifica-o!

Crucifica-o!" Pensei o quanto o homem se torna um ser anencéfalo quando a multidão repete palavras sem nem mesmo refletir sobre elas.

Peguei uma caneta e comecei a escrever sobre o que via. Perguntei a Deus o que Ele queria me ensinar com aquela história tão triste. Pensei em escrever sobre o suicídio e fiquei em busca de uma reflexão mais apropriada ao tema, principalmente por ser um profissional que sempre lida com situações como essa. Pensava o quanto a sociedade, embora disponha de tantas informações, não conhece nem compreende a complexidade da relação entre o homem e sua saúde, de um modo integral, com as circunstâncias socioeconômicas e culturais de sua vida; e quão injusta e insensível vai se tornando, construindo corações e mentes cada vez mais cauterizados para o amor.

Alguns meses depois, a história daquele rapaz passou a ser uma realidade em minha família. Vivemos e sofremos cada aspecto do processo de lidar com o suicídio. O chão foi arrancado debaixo de nossos pés. O coração ficou partido e estraçalhado; um verdadeiro *tsunami* passou em nossa vida. Os estragos foram muitos; alguns danos, grandes e irreparáveis. Foi uma dor imensa, e sentimos uma impotência fenomenal!

Lembrei-me da história do rapaz da ponte e, consternado, percebi diversos sinais de que Deus me preparava para lidar com uma situação que jamais pensei viver!

Em meio a muita dor, o cuidado de Deus foi sempre presente de forma pessoal por intermédio de amigos, familiares, pastores – entre eles, o rev. Hernandes.

Aprendi a louvar a Deus na dor mais profunda e a aceitar Sua soberania. Aprendi que, embora não tenha respostas às inquietantes indagações de minha mente, posso descansar no fato de que tudo está sob o controle do Eterno. Jamais me esquecerei das palavras do profeta Isaías em que o Senhor diz: *Porque os meus pensamentos não são os vossos pensamentos, nem os vossos caminhos os meus caminhos, diz o Senhor. Porque, assim como o céu é mais alto do que a terra, assim são os meus caminhos mais altos do que os vossos caminhos, e os meus pensamentos mais altos que os vossos pensamentos. [...] Assim será a palavra que sair da minha boca; ela não voltará para mim vazia, antes fará o que me apraz e prosperará naquilo para que a enviei* (Isaías 55:8,9,11).

No entanto, quanto vale a vida de um homem para Deus, para a família e para a sociedade?

Quanto vale nossa vida para um mundo cujos valores estão distorcidos e cujo sistema torna o homem cada vez mais só, mais doente e deprimido?

A vida do homem custou um preço elevado para Jesus. Para salvar-nos, Ele deu-nos sua própria vida. Todavia, em um mundo onde Jesus, cada vez mais, não passa de um homem comum, e onde Ele não é nosso verdadeiro Salvador, a vida humana se torna cada vez mais sem sentido e sem valor. Morremos por nada. Quem se importa, quem quer pagar o preço do cuidado, do envolvimento, do socorro, do tomar as dores do outro?

Caminhamos céleres para a autodestruição, e o foco do homem está no salvar a si mesmo. Envolver-se, proteger, livrar e cuidar são atitudes cada vez mais egocêntricas. Que importa a morte de mais um numa sociedade em que morrer violentamente, seja de que forma for, homicídio ou suicídio, é uma rotina diária na vida das pessoas? Uma anestesia emocional acometeu nossa sociedade capitalista, egocêntrica e desumanizada. Vivemos um paradoxo, pois, embora possamos produzir cada vez mais os meios de salvar as pessoas de sua enfermidade, também cada vez mais vemos o adoecimento com suas múltiplas expressões de sofrimento e dores, principalmente da alma. O suicídio, hoje, segundo os estudiosos, é uma expressão radical de uma crise de despersonificação. O mundo contemporâneo assumiu abertamente suas tendências destrutivas.

E o que dizer dos estudos que mostram que o suicídio funciona como um estímulo a outros, principalmente numa sociedade que gera desesperança para o homem? E que considera a autodestruição como solução para o desespero humano?

O especialista do Centro de Pesquisa em Crises Mentais de Pequim, Li Xianjun, chama a atenção para o fato de que, além dos suicidas, existem também dois milhões de pessoas que todos os anos tentam sem sucesso matar-se. O especialista alerta os governantes para esta informação: um suicida contamina psicologicamente outras cinco pessoas.

Vivemos numa sociedade que, a cada dia, provoca distanciamento entre os homens, gerando o isolamento social, uma grande solidão na alma e uma desilusão com a vida. E esta parece cada vez mais difícil de ser vivida como um presente de Deus.

Escrever sobre um tema polêmico, cheio de incompreensões, mitos e tabus, como o suicídio, é sempre um grande desafio.

Primeiro, porque, não se trata de um tema desafiador para aqueles que, de alguma maneira, não se sentiram confrontados por ele.

Segundo, porque, ao confrontarmos o suicídio, nós nos deparamos com muitas perguntas difíceis que deixam angustiadas as pessoas que ficam em busca de respostas. Mesmo havendo pistas, como bilhetes deixados antes de morrer, as perguntas continuarão sem respostas. Serão sempre só perguntas.

Terceiro, porque somos educados em meio a muitas crenças que o condenam por motivos diversos, principalmente por questões religiosas que consideram que nossa vida não nos pertence. Assim, qualquer gesto que demonstre que desistimos de nossa existência é considerado um ato abominável, agressivo e desrespeitoso contra o Criador, a sociedade e a família.

Poderia continuar enumerando razões pelas quais nos aventuramos a entrar no mundo inquietante de um suicida para buscar a compreensão de seus gestos. Tudo o que foge à compreensão humana, bem como tudo o que tira o controle do homem sobre as situações e as circunstâncias e o fazem sentir-se impotente, traz um misto de sentimentos e de pensamentos conflitantes, pois nosso ser busca por respostas que satisfaçam anseios e expectativas.

Não há uma única resposta, porque o caminho do suicídio é o da ambiguidade. Nele, vida e morte se encontram, e se complementam, e se contradizem, repetindo esse movimento infinitamente, como também observamos nas definições do próprio termo que giram em torno de ódio e amor, de coragem e covardia.

Neste livro, o autor consegue retratar o assunto de forma clara e equilibrada, discutindo causas, mitos e prevenção. Ele caminha pela história humana resgatando as diversas faces do suicídio. Portanto, de forma alentadora e bastante esclarecedora, adentra, com sabedoria, um tema complexo. Traz uma nova visão do suicídio para o meio cristão, propondo com isso uma nova reflexão sobre o tema. A discussão é rica justamente porque o drama vida/morte é vivido por todos nós, e nossas reflexões são sempre carregadas de sentimentos.

Creio que este livro atesta mais uma vez o cuidado de Deus para com Seus filhos amados, porque Ele conhece o momento em que vivemos. As estatísticas mostram-nos que o suicídio será cada vez mais uma realidade social. Contudo, Deus se importa com o homem. Assim, Ele busca pessoas e as capacita para alertar ao mundo sobre a necessidade de sairmos de nossa comodidade e ajudarmos aqueles que, aflitos, buscam uma resposta para os dramas da vida.

Multiplicam-se às centenas as famílias e as pessoas machucadas com as histórias violentas e traumáticas de suicídio. São pessoas que precisam ouvir sobre o amor de Deus e Seu cuidado. São pessoas que precisam saber que a vida que Deus nos dá pode ser vivida com um sentido verdadeiro; em que a morte será, sim, parte de um processo de continuar vivendo, e não simplesmente uma forma de resolver a dor e o sofrimento humanos. O suicida não procura a morte em primeiro lugar, mas o alívio de sua dor. Os suicidas buscam a morte quando querem, na verdade, uma vida que faça sentido.

Frustração, raiva, pena, debilidade e confusão são apenas alguns dos muitos sentimentos que experimentamos diante de uma situação que envolve suicídio. E o que dizer dos familiares de um suicida que, nesse processo, tornam-se como náufragos da esperança, sobreviventes da tragédia? Há estragos emocionais de tal monta que, muitas vezes, a estrutura familiar se fragiliza ao ser exposta a todo tipo de julgamentos, nem sempre verbalizados, mas pensados, e isso geralmente acontece de uma forma injusta e até desumana.

Blanca Werlang, doutora em saúde mental pela Unicamp, SP, ao desenvolver sua tese, afirma não ter conseguido esconder o quanto foi tocada emocionalmente pelo drama dos familiares e dos amigos das vítimas de suicídio. Ela afirma: "As pessoas entrevistadas estavam ainda em processo de luto diferenciado. A morte de um ente querido por suicídio não é experienciada como um fato normal, comum. A mobilização emocional é bastante intensa, porque são abordados aspectos muito sofridos".[1]

Não podemos esquecer que muitas famílias, por medo de atitudes acusadoras e de julgamentos precipitados e injustos, optam por esconder a situação real vivida, tendo de suportar o dilema de ocultar a verdade para não sofrer com a exposição de seus conflitos pessoais e familiares. Vale lembrar que, no futuro, os segredos guardados nessas famílias serão criadouros de adoecimento e de

---

1 Blanca Susana Guevara Werlang, do Programa de Pós-Graduação em Psicologia da Pontifícia Universidade Católica do Rio Grande do Sul Lynch FMI.

desgastes familiares, fato já comprovado pelos estudos sistêmicos de famílias.

Geralmente quem já pensou em morrer utilizando-se da autodestruição, com certeza, não pensou a respeito do assunto uma única vez. Caminhamos ao lado de muitos suicidas em potencial, mas nem sequer nos apercebemos de suas dores. Na pressa de vivermos nossa própria vida, correndo em busca de coisas que não preenchem a alma e que produzem ilusão de um bem-estar verdadeiro, não paramos sequer para prestar atenção no outro e perceber um olhar perdido num rosto triste. Se pararmos, de alguma forma, seremos cúmplices dessa dor. Contudo, só queremos fugir de nossa própria dor, do vazio do coração, e poucos querem pagar o preço do envolvimento e do cuidado com o outro. Melhor passar ao largo, como fizeram o sacerdote e o levita na parábola do *Bom Samaritano*.

A inquietação de quem cuida de outras vidas humanas, com compromisso e responsabilidade, não consegue, nem pode, cessar diante de tal situação.

Ao ler este livro para apresentá-lo a você, meu coração foi confrontado com muitas emoções:

Em primeiro lugar, o alento de saber que um assunto tão incômodo, tão controverso e tão enigmático foi tratado de uma forma muito humana, sensível, inteligente e clara.

Em segundo lugar, a constatação da seriedade descritiva do tema, abordando vários aspectos do suicídio na perspectiva histórica, cultural, terapêutica, psicológica e, sobretudo, espiritual. Isso torna a leitura imprescindível, mais interessante e informativa.

Em terceiro lugar, a maneira sensível como o autor trata esse tema tão polêmico, tendo o cuidado de falar com propriedade e amor, respeitando principalmente as vidas maltratadas, enfermas e sofridas por esse processo doloroso.

A medicina psicossomática e os estudos sobre o estresse, como descrito por Burnout, tratam do esgotamento humano e deixam claro que essa já é uma realidade na saúde pública. O esgotamento humano gerado por um grau excessivo de estresse negativo tem lançado pessoas num vale social sombrio e perigoso, provocando um risco elevado de favorecimento ao suicídio. A dor e o desespero podem chegar a um nível tal que ultrapassa os limites emocionais e mentais suportáveis aos seres humanos. Essa dolorosa situação provoca mal-estar e angústia tais que eles, no desejo e na ânsia de saírem dessa dor desesperadora, buscam a morte física com a ideia comum de que esta alivia o sofrimento. Não pense que são somente os doentes psiquiátricos ou depressivos crônicos que estão presentes nessas análises; ao contrário, os motivos dessas condições são, geralmente, hereditários, e a depressão, com sintomas que apresentam risco de suicídio, é parte do quadro esperado em algumas dessas patologias.

Estou falando de pessoas comuns, como você e eu, cristãos ou não, ricos ou pobres, sujeitos a uma condição de vida que, por estímulos diversos, geram estresse, esgotamento e depressão. Executivos, médicos, profissionais da área de saúde, policiais, comerciantes, donas-de-casa, líderes religiosos, enfim, qualquer um de nós, se não cuidar de todas as esferas de saúde, seja física, seja emocional, seja espiritual, pode tornar-se candidato à exaustão e, quem sabe, cair nas estatísticas dos suicídios.

Ao ler este livro, você terá a oportunidade de conhecer um leque de variáveis históricas, sociais, médicas, psicológicas, espirituais, enfim, um novo horizonte se abrirá para que você possa melhor compreender esse tema, buscando cuidadosamente a prevenção não somente para a vida de pessoas próximas, como também para sua própria vida.

Recomendo esta leitura a todas as pessoas sensíveis e comprometidas com a vida humana, especialmente líderes religiosos, profissionais da área de saúde, capelães e conselheiros espirituais.

Que a edificação espiritual e intelectual de que pude desfrutar na leitura deste livro seja uma realidade também em sua vida. E que seu olhar se torne mais sensível e perceptível em relação a você mesmo e aos que o rodeiam. Que esta leitura possa ser bênção na vida de milhares de pessoas que, porventura, necessitem de ajuda.

Dra. Eliane Mara dos Reis Cintra
Médica e terapeuta familiar

Introdução

O dia 10 de setembro de 2006 foi escolhido como o dia mundial de prevenção do suicídio. A Associação Internacional da Prevenção contra o Suicídio, em parceria com a Organização Mundial de Saúde, usará, todos os anos, o dia 10 de setembro para chamar a atenção para a realidade do suicídio como uma das principais causas da morte previsível e prematura. O objetivo é convocar o público em geral, bem como toda a sociedade e seus diversos segmentos – como os pesquisadores, os clínicos, os políticos, os voluntários, além de todos aqueles que lidam com esse assunto – para unir suas forças no sentido de desenvolver atividades que venham a criar programas de prevenção do suicídio.

Somente no alvorecer deste século 21 já temos mais de cinco milhões de mortes por suicídio no mundo. A cada ano, aproximadamente, um milhão de pessoas morre no mundo por suicídio. A cada quarenta segundos, pelo menos, uma pessoa tira a sua própria vida. Esse número supera a soma daqueles que morrem a cada ano vitimados pela guerra e pelo homicídio. O suicídio é um dos maiores problemas de saúde pública do mundo, liderando a causa de morte entre adolescentes e jovens adultos. Embora, tradicionalmente, o índice de suicídio tenha sido maior entre os homens da terceira idade, o índice entre os jovens tem aumentado explosivamente, a ponto de caracterizá-los como o grupo de maior risco em um terço dos países do mundo, tanto nos desenvolvidos quanto nos em desenvolvimento. Hoje, o suicídio já é a terceira causa de morte na faixa dos 15 aos 44 anos.

Estudos comprovam que há cerca de dez a vinte tentativas de suicídio para cada suicídio consumado. Essas tentativas de suicídio, muitas vezes, lotam os ambulatórios, as enfermarias e os quartos dos hospitais. Essas tentativas revelam desajustes emocionais, infelicidade nos relacionamentos e doenças mentais. O suicídio e a tentativa de suicídio produzem sérias consequências emocionais nos membros da família e na vida dos amigos. A família que convive com um indivíduo que atenta contra a própria vida fica vulnerável e insegura, além de desenvolver um grande sentimento de culpa em relação ao ocorrido.

O excelente artigo publicado no *site* do *International Association for Suicide Prevention* (www.iasp.info) diz que o início do século 21 está se tornando um período de consolidação para o alargamento e aprofundamento da pesquisa sobre o comportamento suicida, que teve lugar em 1980 e 1990. Atualmente, existe um vasto volume de informações acerca das diversas e complexas causas do suicídio, facilitando, assim, programas de prevenção tanto nos países desenvolvidos quanto naqueles em desenvolvimento.

Há dados seguros de que a doença mental é o fator mais importante que predispõe as pessoas ao comportamento suicida. Na maioria dos países do Ocidente, quase 90% das pessoas que morrem por suicídio têm uma desordem mental diagnosticada. Dessas doenças, a depressão é a mais destacada, responsável por dois terços de todos os casos. Uma compreensão mais profunda e uma atenção mais acurada acerca da depressão por parte dos médicos poderiam reduzir esse alto índice de suicídio.

É absolutamente necessário que haja uma mobilização de toda a sociedade para trabalhar a questão da prevenção do suicídio. É urgente a adoção de uma abordagem multissetorial para prevenir o suicídio. Assim como temos campanhas de conscientização e de prevenção em relação à AIDS, ao alcoolismo e às drogas, campanhas essas que reduzem os índices desses males sociais, o mesmo pode e deve ser feito para prevenir esse mal que tanto atormenta a sociedade no mundo todo. Essa prevenção não tem sido feita adequadamente, devido a pelo menos duas causas: a falta de conscientização de que o suicídio é um grave problema social e a visão do suicídio como um tabu em muitas sociedades que se recusam a tratar do assunto abertamente. Hoje, alguns países como o Japão já têm incluída a prevenção do suicídio como uma das metas do governo e uma prioridade entre suas ações sociais. Para que esse propósito seja alcançado, é necessário que haja um somatório de esforços do governo, da legislação, da área de saúde, das instituições de educação, da igreja, da família e de todos os segmentos organizados da sociedade. Há algumas trincheiras importantes em que esse drama social precisa ser discutido e tratado.

A primeira trincheira é a família. Um lar desestruturado é um laboratório de crises existenciais, um terreno escorregadio para os pés. É na família que se ganha ou se perde a batalha pela vida. É preciso existir espaço dentro do lar para a amizade, o diálogo e o desabafo.

A segunda trincheira para prevenir o suicídio é a igreja. Uma igreja séria que valorize a vida, cuja teologia está plantada na verdade de que Deus nos criou à Sua imagem e semelhança, e que o nosso corpo é sagrado, pois é o templo do Espírito Santo, pode tornar-se uma fonte inspiradora para que as pessoas superem suas crises existenciais e encontrem uma vida plena e feliz. A igreja deve ser uma comunidade terapêutica, onde as pessoas encontrem saúde emocional e espiritual.

A terceira trincheira é a existência de diversos ministérios especiais de voluntários que ofereçam terapias de grupo, telefones disponíveis para aconselhamento e *sites* especializados no esclarecimento e no socorro das pessoas que estão aflitas.

A quarta trincheira é esclarecer o assunto por intermédio de ensaios, artigos, conferências e livros, a fim de que não reine sobre essa região nebulosa nenhum tabu.

Finalmente, é necessário que haja vontade política para que os governos e as instituições tomem medidas sérias e urgentes no sentido de se fazer campanhas preventivas contra esse mal que aflige a sociedade em todas as suas camadas.

Nesse conjunto de ações não pode faltar o acompanhamento da família daqueles que têm comportamento suicida. A ferida aberta nos familiares é profunda e não cicatriza facilmente. Apoio, em vez de censura; amor, em vez de culpa; solidariedade, em vez de afastamento; estas são atitudes vitais para quem passou pelo vale sombrio da perda de um membro da família por suicídio.

O propósito deste livro é dar um brado de alerta acerca desse tema que deve estar presente na pauta dos grandes problemas sociais. Espero que outras obras possam aprofundar e alargar as fronteiras dessa pesquisa. Espero que esta contribuição possa ajudar na prevenção do suicídio daqueles que vivem cambaleando pelas estradas da vida, oscilando entre a necessidade de viver e o desejo de morrer. Espero, ainda, que este livro instrumentalize consolo para todos aqueles que foram marcados pela dor da perda de um ente querido, ou amigo, pela via dolorosa do suicídio.

Capítulo um

Uma opção pela vida

Vale a pena saborear a vida! Ela é um precioso dom de Deus. Devemos recebê-la com profundo senso de gratidão e cuidar dela com responsável mordomia. Não geramos nossa própria vida; ela nos foi dada como um tesouro muito precioso. Por mais difíceis que sejam as circunstâncias, devemos lutar pela vida em todo o tempo e com todo heroísmo. Por essa razão, desistir de viver ou atentar contra a própria vida é uma atitude que conspira contra a vontade de Deus e atenta contra os interesses daqueles que nos cercam e nos amam.

A autopreservação é um instinto natural. Lutamos pela vida e fugimos da morte. Embora a morte seja inevitável, não devemos apressá-la, e muito menos determinar sua chegada. Não nos cabe o direito de pôr um fim à vida, uma vez que ela não nos pertence. Recebemo-la de Deus, por meio de nossos pais. Por conseguinte, é nosso dever cultivar essa dádiva sublime, a fim de que a nossa vida seja um jardim engrinaldado de flores, e não um deserto árido; um canal de bênção, e não um motivo de sofrimento para outros.

Não são as circunstâncias que determinam como será nossa vida. Podemos transformar um jardim num deserto ou fazer do deserto um lugar cheio de verdor. A questão central não é o que as pessoas fazem conosco, mas como reagimos a isso. Diante das mesmas circunstâncias, uns naufragam, outros triunfam. A crise é uma encruzilhada, e alguns caminham pelas estradas da bem-aventurança, enquanto outros pegam os atalhos sinuosos do fracasso. Não somos produto das crises, elas apenas nos revelam. Os maiores heróis da história humana nasceram do ventre da crise e foram forjados no deserto das provas. O deserto faz parte do currículo de Deus em nossa vida. Os maiores líderes da história foram treinados no deserto.

Devemos amar a vida sem temer a morte. Devemos valorizar a vida sem desconsiderar a morte. Devemos semear em vida para colher na morte. Não basta apenas viver bem, é preciso morrer bem. É impossível viver como um ímpio e morrer como um justo. É impossível plantar joio em vida e colher trigo na morte. Miguel Gonçalves Torres era pastor presbiteriano nos primórdios da Igreja Presbiteriana em terras brasileiras, um homem de caráter impoluto, vida ilibada e testemunho irrepreensível. Ele sempre dizia aos seus amigos que não basta começar bem, pois é preciso terminar bem; não basta ao homem viver bem, pois é preciso morrer bem. Ele era um homem muito doente. A morte sempre o espreitava, mas ele jamais a temeu. Em seu leito de dor, no apagar das luzes da vida, ele chamou sua esposa e disse-lhe:

- Querida, eu pensei que, na hora da morte, eu iria para o céu, mas é o céu que veio me buscar.

Com essas palavras, ele partiu. José Luiz Maranhão, citando Michel Montaigne, afirmou que quem ensina os homens a morrer os ensina a viver.[2]

O grande avivalista americano do século 19, Dwight L. Moody, na hora da morte, declarou às pessoas que o cercavam:

- Afasta-se a terra, aproxima-se o céu, estou entrando na glória.

O médico e pastor galês, Martyn Lloyd-Jones, prolífico escritor, estadista do púlpito evangélico, depois de uma grande luta contra o câncer, pediu a seus familiares e paroquianos:

- Por favor, não orem mais por minha cura, não me detenham da glória.

Embora a morte seja o sinal de igualdade na equação da vida, nem todos entram por seus portais da mesma maneira. Eduardo Galeano diz que cada ser humano entra na morte como melhor lhe parece. Alguns, em silêncio, caminhando na ponta dos pés; outros recuando; outros ainda pedindo perdão ou licença. Há quem entre discutindo ou exigindo explicações, e há quem abra o caminho a pauladas e xingando. Há quem a abrace. Há os que fecham os olhos; há quem chore.[3]

---

2 MARANHÃO, José Luiz. O *que é morte.* São Paulo, SP: Editora Brasiliense, 1987, p. 63.

3 GALEANO, Eduardo. *As veias abertas da América Latina.* Rio de Janeiro, RJ: Paz e Terra, 1988.

Não importa a circunstância ou quão dura tenha sido a luta pela vida, valorize-a como o seu maior patrimônio. Mesmo que ela seja apenas um fiapo tênue, agarre-se a ela com profundo amor. Mesmo que você seja marcado pelas vicissitudes da vida, encurralado pela dor e oprimido pela depressão mais avassaladora, você deve esticar seus músculos até a exaustão na luta pela sobrevivência. Mesmo que suas forças acabem, e seus sonhos sejam esmagados debaixo do rolo compressor da desesperança, você deve esperar embora não tenha esperança, confiando que Deus pode chamar à existência as coisas que não existem. Nenhuma circunstância nem sentimento deveriam empurrar você pelos corredores sombrios da autodestruição. A morte deve ser bem-vinda, se vem de Deus, mas jamais deve ser acionada pela sua própria mão. Rubem Olinto, citando Sócrates, afirmava que a essência da filosofia é o preparo para a morte.[4] Quem não está preparado para viver também não está preparado para morrer. Quem desiste de viver não está preparado para morrer. Somente Deus tem o direito de determinar o tempo de sua partida.

A vida é um patrimônio sagrado. Devemos cuidar dela com todo esmero. O apóstolo Paulo disse que ninguém jamais odiou a sua própria carne, antes a alimenta e dela cuida (Efésios 5:29). Assim, o suicídio é um atentado contra o próprio instinto de autopreservação que recebemos de Deus.

---

[4] OLINTO, Rubem. *Luto – uma dor perdida no tempo.* Niterói, RJ: Vinde Comunicações, 1993, p. 14.

O suicídio é o ato voluntário e intencional de matar a si mesmo. É o assassinato de si mesmo. É o último e irreversível estágio da autodestruição. É a violência fatal contra si para pôr fim a uma dor maior do que a vontade de viver. Outras vezes, é um golpe final em si mesmo para punir a outrem. O suicídio é o naufrágio da esperança, a falência dos sonhos, o fim da linha, o fundo do poço, o desespero de não enxergar a luz da esperança no fim do túnel.

Émile Durkheim, o sociólogo francês que escreveu o primeiro tratado sociológico sobre o suicídio, define-o da seguinte forma: "Chama-se suicídio todo caso de morte que resulta direta ou indiretamente de um ato positivo ou negativo praticado pela própria vítima, ato que a vítima sabia dever produzir este resultado".[5]

A palavra suicídio vem de dois termos do latim, *sui*, que significa "próprio", e *caedere*, que significa "matar". Assim, o suicídio é o desejo e o ato de assassinar a si próprio.[6] Gary Stuart afirma que palavras com frequência associadas ao suicídio incluem: raiva, desânimo, falta de esperança, desamparo, falta de valor, depressão, medo, tragédia, mistério, vergonha, vingança, protesto, ressentimento, alívio da dor, busca por soluções, um grito por ajuda, um legado destruído, perguntas não respondidas, sonhos não realizados, erros, desespero, amargura, lágrimas e arrependimentos. O suicídio sempre

---

5 DURKHEIM, Émile. *O suicídio*, em *Os pensadores*. São Paulo, SP: Editora Abril Cultural 1978, p. 167.

6 STUART, Gary *et all Suicídio e eutanásia*. São Paulo, SP: Editora Cultura Cristã, 2004, p. 9.

afeta muitas pessoas. Apesar da ilusão de que é um ato solitário, ele, na realidade, traz consequências duradouras para muitos.[7]

Trata-se a tendência ao suicídio como um sintoma da depressão, mas essa tendência pode ser um problema que coexiste com a depressão. O suicídio, muitas vezes, não é a culminação de uma vida difícil. Na guerra, nos campos de concentração e durante os períodos de terror, as pessoas pensam muito menos na morte (e menos ainda em suicídio) do que quando levam uma vida normal.[8] Algumas pessoas se surpreendem por alguém sobreviver aos campos de concentração e depois se matar.

Andrew Solomon classifica os suicidas em quatro grupos: o primeiro grupo comete suicídio sem pensar no que está fazendo. É composto por pessoas que agem repentinamente e se matam sem dar a si mesmas a chance de ser tratadas. O segundo grupo comete suicídio como vingança, como se o ato não fosse irreversível. O suicida se mata pensando que está matando o outro. É como tomar veneno achando que o outro é quem vai morrer. O terceiro grupo comete suicídio por uma lógica falha, em que a morte parece a única fuga de problemas intoleráveis. O último grupo comete suicídio através de uma lógica racional. Essas pessoas, em virtude de doença física, instabilidade mental ou mudança nas circunstâncias de vida, não desejam experimentar a dor

---

[7] STUART, Gary *et all*. *Suicídio e eutanásia*, p. 10.

[8] ALVAREZ, A. *The savage God: a study of suicide*. Londres: Weidenfeld and Nicholson, 1971, p. 75.

da vida e acreditam que o prazer que elas possam vir a sentir é insuficiente para compensar a dor atual.[9]

Andrew Solomon diz ainda que o suicídio é espantosamente comum. A cada 17 minutos, alguém nos Estados Unidos comete suicídio. É a terceira entre as causas de morte de americanos abaixo de 21 anos, e a segunda entre estudantes universitários. Em 1995, mais jovens morreram em consequência de suicídio que a soma de vítimas de AIDS, câncer, derrame, pneumonia, gripe, defeitos de nascimento e doenças cardíacas. De 1987 a 1996, mais homens abaixo de 35 anos morreram em consequência do suicídio que de AIDS. Todos os anos, quase meio milhão de americanos recebe tratamento hospitalar por tentativas de suicídio. A cada ano, nos Estados Unidos, mais americanos se matam com armas do que são assassinados por elas. Em 1997, cerca de 18 mil americanos se mataram com armas. Esse tipo de suicídio, segundo a Organização Mundial de Saúde, foi responsável por quase 2% de mortes no mundo em 1998, o que o localiza antes de mortes causadas pela guerra e bem antes do homicídio. E a taxa de suicídio sobe continuamente. Um estudo recente feito na Suécia mostrou que a probabilidade de um rapaz, na área de abrangência de estudo, cometer suicídio aumentara 260% desde os anos 50. Metade daqueles com doença maníaco-depressiva farão uma tentativa de suicídio; uma entre cinco pessoas com depressão severa fará o mesmo.[10]

---

[9] Solomon, Andrew. O *demônio do meio-dia*. Rio de Janeiro, RJ: Editora Objetiva, 2001, p. 227,228.

[10] Solomon, Andrew. O *demônio do meio-dia*, p. 231.

A atual tendência suicida é assustadora. Até recentemente, parecia que o risco de suicídio aumentava progressivamente com a idade. Contudo, desde os anos 1950, é cada vez maior o número de adolescentes e de pessoas com pouco mais de vinte anos que se matam. Em muitas áreas, os suicidas adolescentes são agora mais comuns que os suicidas idosos.[11] O suicídio já é a segunda causa mais comum de morte entre os jovens em algumas áreas. A perspectiva de uma crescente onda de suicídios nos enche de preocupação. Um fato mais espantoso é que as estatísticas sobre o número de suicídios são bastante mascaradas. John White escreve sobre isso:

> Os atestados de óbito são notórios por não relatar o suicídio. Algumas autoridades colocam o número de mortes por suicídio entre dez e cem vezes maior do que o refletido pelas estatísticas vitais. Os médicos e os parentes enlutados tentam igualmente se proteger da tragédia do suicídio.[12]

Esse dado, relatado pelo psiquiatra John White, é chocante, pois contraria os dados levantados pelo sociólogo Émile Durkheim. Este baseou seus estudos sobre o suicídio em estatísticas oficiais, mas sabemos hoje que esses dados são mascarados e estão muito abaixo da dura realidade dos fatos. Roosevelt

---

[11] WHITE, John. *As máscaras da melancolia.* São Paulo, SP: ABU Editora, 1987, p. 128,129.

[12] WHITE, John. *As máscaras da melancolia,* p. 123.

Cassorla, nessa mesma linha de pensamento, diz que é difícil precisar quantas pessoas se matam ou tentam matar-se. O número de suicídios que consta das estatísticas oficiais é extraído das causas de morte assinaladas nos atestados de óbito. Contudo, esses atestados nem sempre são confiáveis: a família e a própria sociedade, comumente, pressionam para que a causa seja falsificada.[13]

Um dos objetivos deste livro é fazer um apelo veemente aos que estão atravessando o deserto cinzento da depressão e que estão flertando com a própria morte: busque ajuda. Mesmo que você não ache mais graça na vida e anseie pela morte como saída honrosa para o seu drama; mesmo que você só tenha colhido fracassos e decepções na vida; mesmo que as pessoas que lhe são mais chegadas tenham frustrado suas expectativas; mesmo que suas orações pareçam não passar do teto; mesmo que os céus estejam silenciosos ao seu clamor, prossiga um pouco mais. Ainda há esperança. O sol voltará a brilhar. O choro pode durar uma noite inteira, mas a alegria vem pela manhã. Jó, no auge da sua dor, disse: *Embora ele me mate, ainda assim esperarei nele* (Jó 13:15; NVI).

Outro objetivo deste livro é tocar a trombeta e proclamar que, por mais difícil que seja a circunstância, com Deus ainda há esperança. Mesmo que sua causa esteja perdida; mesmo que, humanamente, a situação

---

[13] Cassorla, Roosevelt M. S. O *que é suicídio*. São Paulo, SP: Abril Cultura e Editora Brasiliense, 1985, p. 78.

pareça irreversível, um milagre pode acontecer. Não desista de esperar uma intervenção sobrenatural de Deus em sua vida. Um dos escritores mais lidos no mundo atualmente é Og Mandino. Aos 35 anos de idade, ele estava caído numa sarjeta, falido e abandonado pela mulher e pela filha, pensando em suicídio. Dez anos depois, Og Mandino estava no topo da fama mundial, escrevendo livros lidos e traduzidos no mundo inteiro, ensinando as pessoas a viver com otimismo. Em seu livro autobiográfico, Og Mandino oferece uma sugestão prática para você olhar a vida com otimismo, ainda que as circunstâncias sejam absolutamente adversas. Sua recomendação é simples, mas o efeito é extraordinário. Og Mandino diz que precisamos começar nosso dia alimentando nosso coração com entusiasmo e regando nossa alma com o orvalho da alegria. Sua receita para isso é a seguinte: logo de manhã, antes de tomar o café, pegue o melhor jornal da sua cidade. Obviamente, você não quer iniciar seu dia lendo as páginas políticas, pois isso poderia deprimir você. Não é sensato também, diz ele, começar o dia lendo as páginas econômicas, pois isso traria preocupação para a sua mente. De igual forma, não é aconselhável você iniciar sua jornada lendo as páginas policiais, pois você ficaria com medo até de sair de casa. É claro que você não é tão corajoso a ponto de começar o seu dia lendo as páginas esportivas, pois pode ser que seu time do coração tenha levado uma goleada no último jogo, e você ainda esteja com o gosto amargo da derrota em sua boca. A melhor maneira de você começar o seu dia é lendo a página do obituário, ou seja, a lista das pessoas que morreram. Você deve ler atentamente todos os nomes dessa lista, pois quando terminar a leitura, descobrirá algo fantástico: seu nome não está nessa lista. Você descobrirá que as pessoas que estão nessa lista dariam tudo para estar em seu lugar, mas elas estão mortas. Você descobrirá que está vivo e, se você está vivo, um milagre pode acontecer em sua vida hoje. Enquanto lhe restar um fiapo de vida, a esperança pode raiar com todo o fulgor. O vale de sua crise mais agônica pode se transformar na porta da esperança.

Se, porém, a circunstância não mudar, Deus é poderoso para capacitar você a enfrentá-la paciente e triunfantemente. O apóstolo Paulo, além de passar por várias privações, perseguições, prisões e açoites, teve de lidar também com um espinho na carne. Possivelmente, esse espinho na carne era uma enfermidade física que o atormentava, provocando-lhe imensa dor. A maioria dos estudiosos crê que esse era um problema visual. Paulo, por três vezes, pediu a Deus a remoção desse espinho. Contudo, Paulo, em vez de receber a cura, recebeu o poder para enfrentar a situação. Embora o espinho na carne fosse uma bofetada de Satanás em Paulo, Deus usava essa situação para que ele não se ensoberbecesse. Deus disse para Paulo: *A minha graça te basta, porque o meu poder se aperfeiçoa na fraqueza* (2Coríntios 12:9).

Tenho ainda o propósito de trazer uma palavra de consolo para a família daqueles que passaram ou estão passando pelo vale sombrio do luto, depois de perder um membro querido da família que, misteriosamente, ceifou a própria vida. Meu ardente desejo é que haja bálsamo de Deus para o coração dos familiares e uma renovada esperança para a alma deles nesta leitura. Estou convencido de que meras palavras soam ao vento, como bronze que retine, e jamais podem terapeutizar nossa alma imersa em tristeza. Contudo, estou absolutamente seguro que nosso Deus é o Pai de toda consolação. É Ele quem nos consola em toda a nossa angústia a fim de que possamos consolar aqueles que estiverem passando pelas mesmas circunstâncias (2Coríntios 1:3). Deus pode transformar nossas feridas em fontes de consolo para os aflitos. Nossas mais amargas experiências podem ser bálsamo para aqueles que jazem feridos à beira de nosso caminho. As causas mais nobres de ajuda aos necessitados e aflitos surgiram daqueles que experimentaram de perto a dor e resolveram se levantar para socorrer as pessoas que passaram pela mesma estrada crivada de espinhos. Nosso fracasso só é fracasso quando deixamos de aprender com ele. Nossa dor só é incurável quando nos recusamos a ser consolados, e quando nos recusamos a consolar outros. Que Deus nos ajude a ser receptáculos e também canais da consolação!

Capítulo dois

O suicídio no contexto histórico

O suicídio é conhecido desde os primórdios da humanidade. O conceito humano sobre o suicídio variou muito no decorrer dos séculos, segundo o professor Hélio Gomes.[14] Na Antiguidade, o suicídio sempre foi punido severamente. Em Tebas e Chipre, o morto era privado de honras fúnebres. Na Grécia antiga, o suicídio era um ato clandestino, patológico e solitário e não havia uma lei para avaliar os casos suicidas, conta-nos Cristina Emiko Igue.[15] Em Atenas, cortava-se a mão direita daquele que cometia o suicídio, a qual era enterrada distante do resto do corpo do indivíduo. Em Esparta, era considerado um ato justificável. Em Roma, o indivíduo deveria submeter ao senado as suas razões para o desejo de morrer, ou seja, o suicídio não parecia juridicamente condenado.[16] Era visto como um desenlace honroso

---

[14] Gomes, Hélio. *Medicina legal.* Rio de Janeiro, RJ: Freitas Bastos, 1966, p. 697-707.

[15] Igue, Cristina Emiko. *Convivendo com a possibilidade do suicídio.* Universidade de São Paulo, 2001, p. 10.

[16] Igue, Cristina Emiko. *Convivendo com a possibilidade do suicídio,* p. 10.

nos casos em que a pessoa era escarnecida pelo inimigo. As pessoas que se enforcassem em Roma, porém, eram privadas de sepultura. O suicídio de militares e dos condenados ou indiciados pela justiça era reprovado e proibido, sob pena de se ter os bens confiscados pelo Estado.[17]

O imperador Nero suicidou-se quando foi deposto pelo senado romano. A filosofia estóica justificava e exaltava o suicídio, dizendo: "É lícito morrer a quem não interessa mais viver". Os epicuristas o consideravam como parte integrante da própria existência.[18] Schopenhauer, em *Dores do mundo,* aconselha o suicídio como a única solução lógica para a existência humana indefectivelmente presa aos sofrimentos.[19] O materialista romano Lucrécio argumentava que a morte era *nada*, e, por isso, o suicídio era louvável.

No século 1, o apóstolo Paulo estabeleceu princípios contrários ao suicídio. Quando o carcereiro de Filipos, ao ver as portas da prisão abertas, puxou a espada para suicidar-se, supondo que os presos tivessem fugido, Paulo bradou em alta voz: *Não te faças nenhum mal, porque todos aqui estamos* (Atos 16:27,28). O apóstolo Paulo, em algumas de suas cartas, apresenta princípios claros contra o suicídio, como os seguintes:

---

[17] DIAS, Maria Luiza. *Suicídio: testemunhos de adeus.* São Paulo, SP: Editora Brasiliense, 1991, p. 39.

[18] ANGERAMI, Valdemar Augusto. *Suicídio: fragmentos de psicoterapia existencial.* São Paulo, SP: Pioneira Psicologia, 1997, p. 40.

[19] GAMA, José de Souza. *A derrota do suicídio.* Rio de Janeiro, RJ: Biblioteca Jurídica Freitas Bastos, 1987, p. 63.

1) *Porque nenhum de nós vive para si, e nenhum morre para si. Pois, se vivemos, para o Senhor vivemos; se morremos, para o Senhor morremos. De sorte que, quer vivamos quer morramos, somos do Senhor* (Romanos 14:7,8).
2) *Ou não sabeis que o vosso corpo é santuário do Espírito Santo, que habita em vós, o qual possuís da parte de Deus, e que não sois de vós mesmos* (1Coríntios 6:19).
3) *Se alguém destruir o santuário de Deus, Deus o destruirá; porque sagrado é o santuário de Deus, que sois vós* (1Coríntios 3:17).
4) *Pois nunca ninguém aborreceu a sua própria carne; antes a nutre e preza, como também Cristo a igreja* (Efésios 5:29).

Agostinho de Hipona, nos séculos 4 e 5, teve uma posição extremamente dura a respeito do suicídio. Ele negou sua legitimidade, sejam quais forem as circunstâncias, argumentando que o suicídio exclui a possibilidade de arrependimento. Agostinho assinala que o suicídio é uma "perversão detestável" e "demoníaca", e que o "não matarás" da Bíblia estende-se também a "não matarás a si próprio". A Igreja utilizava todos os recursos disponíveis para a repressão ao suicídio. Considerava o suicida um discípulo de Judas, traidor da humanidade; aí o diabo saía vitorioso.[20] Valdemar Augusto Angerami diz que o direito canônico do suicídio, de concílio em concílio, fica cada vez mais repressivo. O de Arles (em 452) retoma as sanções do direito romano contra os escravos e os servidores. Em 553, o concílio de Orléans priva de funerais

[20] DIAS, Maria Luiza. *Suicídio: testemunhos de adeus*, p. 39.

religiosos aqueles acusados de um crime, "se faz justiça". Em Bragues, trinta anos depois (562), essa sanção passa a abranger todos os casos, quaisquer que sejam os motivos ou circunstâncias. O assunto é encerrado no concílio de Toledo (em 693) com excomunhão dos autores de tentativas. Para melhor esclarecer sua posição, a Igreja coloca em evidência um papel secundário no cenário da paixão de Cristo: o de Judas. Sua traição passa para segundo plano: é por ter-se enforcado que o próprio Judas Iscariotes se condena irremediavelmente. Aqueles que "se desfazem da vida" usurpam as funções justiceiras da Igreja e do Estado e devem ser tratados como "discípulos de Judas".[21]

Na Idade Média, o indivíduo e sua vida pertenciam a Deus, e o sujeito era castigado quando tentava se apoderar da vida que não lhe pertencia.[22]

Tomás de Aquino, o grande teólogo da Igreja Romana, afirmou que o suicídio é:

1) *Antinatural.* Contrário ao amor que todo homem deve ter para consigo mesmo;
2) *Uma ofensa contra a família e a comunidade.* Ninguém é uma ilha existencial. O suicídio é um ato egoísta e profundamente antissocial.
3) *Uma usurpação do poder de Deus.* Só Deus pode dar e tirar a vida. O suicídio é um ato antiespiritual.

---

[21] ANGERAMI, Valdemar Augusto. *Suicídio: fragmentos de psicoterapia existencial*, p. 38.

[22] KOVÁCS, M. J. *Morte e desenvolvimento humano: comportamento autodestrutivo e o suicídio*. Segunda edição. São Paulo, SP: Casa do Psicólogo, 1992, p. 165-187.

A partir dos séculos 16 e 17, com a Revolução Francesa, a sociedade e a Igreja tornaram-se mais tolerantes com o suicídio. Em Paris, já no começo do século 20, podia-se adquirir um certificado médico de suicídio "involuntário" para autorizar o enterro religioso.[23]

Para alguns filósofos existencialistas, como Albert Camus, o suicídio é o maior problema filosófico. Para ele a vida é absurda; uma bolha vazia no mar do nada.

Conforme vimos, o suicídio foi estimulado em algumas culturas. Muitos, ainda hoje, o enaltecem como um ato heróico, digno dos maiores elogios e das maiores recompensas.

C. S. Stubbe diz que através da história cultural do suicídio no Brasil, podemos comprovar que o comportamento suicida da população africana e afro-brasileira, durante o período colonial e imperial, estava intimamente ligado a sua condição de escravo (ou seja, coisa, ser sem alma), o que fazia que esses grupos tivessem os mais altos níveis de suicídio em toda a estrutura populacional da época.[24]

Cristina Emiko Igue afirma que, até o século passado, a Igreja Católica excomungava os suicidas e proibia a realização de funerais religiosos para quem se matava. Hoje isso foi abolido, mas o suicídio continua sendo considerado um pecado grave.[25]

---

[23] DIAS, Maria Luiza. *Suicídio: testemunhos de adeus*, p. 39.

[24] STUBBE, C. dos S. *Suicídio como fator de alto risco entre as empregadas domésticas no Rio de Janeiro*. J. Bras. Psiq., vol. 44, n. 10, 1995, p. 519-527.

[25] IGUE, Cristina Emiko. *Convivendo com a possibilidade do suicídio*, p. 11.

Segundo Farmer, na maioria das religiões formais e, até mesmo, nas sociedades seculares, o suicídio é considerado imoral. E tanto o suicídio quanto a tentativa de suicídio foram, em algumas épocas, ofensas criminais. Na Inglaterra e no País de Gales, o suicídio era uma ofensa capital até o início do século 19. A lei da época prescrevia que uma pessoa que cometesse suicídio, ou estivesse propensa a cometer o suicídio, deveria ter seus bens confiscados. A tentativa de suicídio deixou de ser uma ofensa criminal na Inglaterra e no País de Gales em 1962. Só deixou de ser crime na Irlanda uns 25 anos mais tarde. Hoje, muitas autoridades encontram-se mais inclinadas a registrar uma "causa de morte em aberto" que causar maior desgosto aos parentes registrando o acontecido como suicídio.[26]

Há quem encare o suicídio como a honrosa coragem de dar um basta ao sofrimento, quando este supera a possibilidade de viver ou impede de se viver sem o aguilhão da dor.

No entanto, será que existe algo pior que a dor? Há sofrimento tão esmagador a ponto do ser humano flertar com a morte e desejá-la ardentemente? Sim, a experiência humana prova que, muitas vezes, o sofrimento físico ou emocional é tamanho que a morte torna-se mais desejável que o ouro. Jó passou por essa experiência e buscou a morte mais que a vida. Examinemos as próprias palavras de Jó:

---

[26] FARMER, R. *Cultura e suicídio*. Revista *Psyche*. Vol. 2, Número 1, 1996, p. 2-4.

> *Por que não morri ao nascer? por que não expirei ao vir à luz? Por que me receberam os joelhos? e por que os seios, para que eu mamasse? Pois agora eu estaria deitado e quieto; teria dormido e estaria em repouso* [...]. *Por que se concede luz ao aflito, e vida aos amargurados de alma; que anelam pela morte sem que ela venha, e cavam em procura dela mais do que de tesouros escondidos; que muito se regozijam e exultam quando acham a sepultura?* (Jó 3:11-13,20-22).

Kierkegaard, o pai do existencialismo moderno, declarou que pior que morrer é desejar a morte e não conseguir consumá-la. Mauro Maldonato comenta as palavras de Kierkegaard:

> Se quisesse falar de uma doença mortal no sentido mais estrito, essa deveria ser uma doença cujo fim seria a morte e a morte seria o fim. E esse é precisamente o desespero. Todavia, noutro sentido, ainda mais preciso, o desespero é a doença mortal. De fato, é extremamente improvável que venhamos a morrer fisicamente dessa doença ou que essa doença termine com a morte física. Ao contrário, o tormento do desespero é precisamente o de não poder morrer. Por isso mais se parece com o estado do moribundo quando está agonizando sem poder morrer. Portanto, cair na doença mortal é não poder morrer, mas não como se houvesse a esperança da vida: a ausência de toda esperança significa aqui que não há

> sequer a última esperança, a da morte. Quando o perigo maior é a morte, espera-se na vida; mas quando se conhece o perigo ainda mais terrível, espera-se na morte. Quando o perigo é tão grande que a morte se tornou esperança, então nasce o desespero vindo a faltar a esperança de poder morrer.[27]

Na verdade, um dos maiores truques e enganos do suicídio é que ele não mata a causa que o estimula. Ele não põe um ponto final na dor que aperta o peito e açoita a alma. O suicídio é uma prática equivocada acerca da natureza da vida, da morte, do tempo e da eternidade.

A vida não consiste apenas do breve percurso entre o berço e a sepultura. Há uma dimensão transcendental na vida. Fomos criados à imagem e semelhança de Deus e temos uma alma imortal. Nossa vida não se limita apenas a este mundo. O sepulcro frio não é o nosso destino final. Nossa existência não se finda com a morte. O maior bandeirante do cristianismo, o apóstolo Paulo, disse que, *se a nossa esperança se limitar apenas a esta vida, somos os mais infelizes de todos os homens* (1Coríntios 15:19). A crença de que somos apenas matéria, e de que tudo em nossa vida não passa de reações químicas, leva-nos ao desespero. A compreensão de que não existe vida depois da morte, e de que a morte tem o poder de pôr fim à existência carimbada pelo sofrimento, tem levado

---

[27] MALDONATO, Mauro. Os aposentos vazios da depressão. In: *Viver Mente e Cérebro*. Maio 2006, p. 43.

muitos indivíduos a saltar no abismo do suicídio em busca de um alívio ilusório.

Na verdade, a morte não põe um ponto final na existência (Lucas 16:22,23). Do outro lado da sepultura, há uma eternidade de gozo ou sofrimento, de bem-aventurança ou tormento. Saltar no poço sombrio do suicídio pode ser uma viagem sem retorno rumo ao tormento infinitamente maior que aquele que o gerou, não em direção ao alívio nem mesmo ao desconhecido. Depois da morte, vem o juízo (Hebreus 9:27). Depois da morte, há dois destinos eternos: céu ou inferno. Podemos descrer ou negar isso, mas não invalidar essa verdade. Dietrich Bonhoeffer esclarece esse ponto crítico do suicídio com as seguintes palavras:

> O suicídio é condenável como pecado da falta de fé, por haver um Deus vivo. [...] A falta de fé oculta do ser humano, de forma funesta, o fato de que também o suicídio não o livra da mão de Deus que lhe preparou seu destino. A descrença não reconhece, na dádiva da vida física, o Criador e Senhor que tem o direito exclusivo de dispor de sua criação. Aqui topamos com o fato de a vida natural não ter seu direito em si mesma, mas em Deus. A liberdade para a morte, que foi dada à vida humana no âmbito da vida natural, é pervertida quando não é usada na fé em Deus.[28]

[28] BONHOEFFER, Dietrich. *Ética*. São Leopoldo, RS: Editora Sinodal, 1988, p. 96.

Capítulo três

As causas do suicídio

Maria Luiza Dias, pesquisadora do tema, afirmou corretamente que a literatura sobre o suicídio é numerosa, muito embora, no Brasil, haja uma carência de pesquisa na área. Diz a ilustrada escritora que, embora várias abordagens e enfoques sejam possíveis, o fenômeno do suicídio é multideterminado e só poderá ser amplamente compreendido numa abordagem multidisciplinar.[29] Nessa mesma linha de pensamento, Roosevelt Cassorla diz que o suicídio pode ser abordado dos pontos de vista filosófico, sociológico, antropológico, moral, religioso, biológico, bioquímico, histórico, econômico, estatístico, legal, psicológico, psicanalítico etc.[30]

O suicídio é uma realidade muito dolorosa. Cerca de 50% das pessoas já pensaram em suicídio como alternativa para pôr um fim ao drama da vida. O suicídio atravessa todas as fronteiras geográficas, raciais, sexuais, religiosas, culturais e sociais. Nenhum de nós deve

---

[29] Dias, Maria Luiza. *Suicídio: testemunhos de adeus*, p. 15,31.

[30] Cassorla, Roosevelt M. S. O *que é suicídio*, p. 8.

subestimar seus efeitos devastadores e sua abrangência, conforme aponta Gary Stuart.[31] Por que as pessoas cometem suicídio? O que desencadeia esse processo que culmina na eliminação deliberada da própria vida? As pessoas que cometem suicídio têm um sentimento obsessivo de desamparo, falta de esperança e de valor. Elas pensam que não importa se vivem ou morrem, que ninguém sentirá falta delas. Pensam que seus amigos e familiares estarão melhor sem elas. Pensam que o suicídio é a única forma possível de escapar da dor emocional insuportável. Assim, o suicida não quer morrer, ele quer escapar do sofrimento. No fim das contas, o suicídio não é uma questão que diz respeito ao morrer, mas, sim, ao viver.[32]

Romeu e Julieta, da obra de Shakespeare, assim como tantos outros Romeus e Julietas da vida real, matam-se para vingar-se de seu ambiente (e, na obra, fica clara a ambivalência vida *versus* morte, e como a morte, no suicídio, acaba ocorrendo muitas vezes como um engano). Contudo, talvez com mais intensidade, matam-se para continuar juntos, para poder amar-se num mundo fantasiado, de paz, certamente, numa vida pós-morte. Assim, muitos suicidas não desejam a morte, mas sim uma nova vida, em que se sintam queridos e importantes.[33]

---

[31] STUART, Gary. *Suicídio e eutanásia*, p. 14.

[32] STUART, Gary. *Suicídio e eutanásia*, p. 15.

[33] CASSORLA, Roosevelt M. S. O *que é suicídio*, p. 33.

José de Souza Gama aponta cinco causas que levam uma pessoa a tentar o suicídio:[34]

1. Atenção;
2. Vingança;
3. Sair de uma situação desagradável;
4. Ir para um lugar melhor;
5. Paz.

Lamentavelmente, aqueles que cometem suicídio não estão dispostos, nem mesmo habilitados, a medir as terríveis consequências de seu ato sobre a vida de familiares e amigos. O suicídio é um ato irremediável que sempre produz mais dor que alívio.

Segundo José de Souza Gama, duas escolas buscam explicar a origem do suicídio.[35]

Em primeiro lugar, *a escola biológica ou psiquiátrica*. Essa escola considera todo suicida um alienado ou um doente psíquico. Esquirol considerava todos os suicidas como alienados mentalmente. Disse ele: "O homem não atenta contra a sua vida senão quando está em delírio". Aquile Delmas afirmou que o suicídio verdadeiro é sempre patológico. Giulio Moglie também sustenta que o suicídio é sempre um ato doentio, patológico e mórbido. O professor Nilton Sales defendeu a tese de que o suicídio é sempre resultante de perturbação mental e sempre praticado por uma personalidade psicopata. O médico

---

[34] Gama, José de Souza. *A derrota do suicídio*, p. 97.

[35] Gama, José de Souza. *A derrota do suicídio*, p. 63-69.

Flamínio Fávero, em sua obra notável *Medicina legal*, afirma: "Aplaudo convictamente os que insistem em chamar o suicida de anormal psíquico. O instinto de conservação é uma força poderosa. Seu embotamento é mórbido. Quem deserda da vida não tem uma perfeita saúde mental".

As pessoas com doença mental têm o julgamento prejudicado. Com isso, são presas de distorção perceptiva e diminuição do controle da vontade. Essas pessoas enxergam através de lentes distorcidas. São incapazes de fazer escolhas racionais. Por isso, atentam contra a própria vida, maximizam os problemas, avultam as dificuldades, agigantam as crises e só enxergam os horizontes tenebrosos. Veem tudo com os óculos escuros da desesperança, pois não conseguem enxergar nenhuma luz no fim do túnel.

Raul Marino Jr., em seu célebre livro *A religião do cérebro*, afirma que o cérebro é o único instrumento biológico e universal que constitui o alicerce para o comportamento humano, sede de todos os sentimentos, pensamentos e emoções.[36] Raul Marino ainda diz que na esquizofrenia, como doença da personalidade, parece haver um comprometimento maior das funções cerebrais, incluindo as do lobo temporal, por exemplo, alucinações e de experiências aberrantes, típicas de disfunção temporal.[37]

---

[36] MARINO JR., Raul. *A religião do cérebro*. São Paulo, SP: Editora Gente, 2005, p. 29.

[37] MARINO JR., Raul. *A religião do cérebro*, p. 69.

A escritora Carol Ezzell, em seu magnífico artigo *A neurociência do suicídio*, afirma, baseada em recentes pesquisas, que entre 60% e 90% dos suicidas americanos sofrem de uma doença mental. Sua própria mãe, que sofria de depressão bipolar, suicidou-se aos 57 anos com um tiro no peito. A menos que estejam tomando medicação apropriada – e reagindo bem a ela – a depressão maníaca, ou bipolar, faz que as pessoas com a doença oscilem entre abismos de desespero e picos de euforia ou agitação. A maioria das pessoas que põem fim à própria vida tem histórico de depressão ou depressão maníaca.[38]

A jornalista Fernanda Vasconcellos, em seu artigo *Os caminhos do tratamento*, fala sobre os números assustadores da depressão. Segundo ela, dez milhões de brasileiros sofrem de depressão. Estima-se que a síndrome se manifeste em 15% a 20% da população mundial, pelo menos uma vez durante a vida. Quem sofre a primeira crise tem 50% de chance de reincidência. Após o segundo episódio, a probabilidade sobe para 70% e a partir do terceiro pula para 90%. Apesar das estatísticas pouco animadoras, existem diversos recursos disponíveis para controlar a doença que, dependendo da intensidade, além da tristeza profunda e inexplicável, pode incluir, entre seus sintomas, distúrbios de sono e de apetite, irritabilidade, cansaço, perda da memória, dores de cabeça e no corpo, problemas digestivos e até mesmo pensamentos suicidas.[39]

[38] Ezzell, Carol. A *neurociência do suicídio*. In: Viver Mente e Cérebro. Maio de 2006, p. 49.

[39] Vasconcellos, Fernanda. *Os caminhos do tratamento*. In: Viver Mente e Cérebro. Maio de 2006, p. 64.

Em segundo lugar, há *a escola sociológica.* Outros estadistas da mesma envergadura pensam de maneira diferente da escola anterior. A corrente sociológica, chefiada por Émile Durkheim, entende que o suicídio é um fenômeno puramente social. Valdemar Augusto Angerami, comentando esse enfoque de Émile Durkheim, conforme a visão de Kalina e Kovadloff, escreve:

> Se é certo que, na atualidade, a patologia suicida é uma patologia social, então a terapêutica não pode ser senão comunitária. Sua prática ultrapassará o campo do consultório individual para impor como necessário o contato médico com a família do paciente, as autoridades políticas, educacionais e, de modo geral, com todas as áreas responsáveis e representativas da vida institucional de uma nação. Com sua morte, o suicida não nos diz somente que já não suportava mais. Também fala de nós. Demonstra, de um lado, que não podia continuar nos tolerando.[40]

Kraeplin, expoente da psiquiatria universal, admite a existência de indivíduos sãos de espírito capazes de realizar o suicídio, sob o peso de situações incômodas. George Dumes, grande psicólogo, afirmou ter observado quatro suicídios "refletidos, preparados e executados em plena lucidez", não apresentando quaisquer distúrbios psicóticos. Leiguel-Lavartine, em sua conhecida obra

[40] ANGERAMI, Valdemar Augusto. *Suicídio: fragmentos de psicoterapia existencial,* p. 21.

Prática psiquiátrica, aceita a tese de suicidas não patológicos, pessoas que se matam depois de demorada reflexão, na plenitude de suas faculdades mentais.

O professor Tener de Abreu lembra o caso do socialista francês Paulo Lafarguer e de sua mulher, que combinaram todos os detalhes do suicídio de ambos. É expressiva a carta deixada por Lafarguer, publicada no diário *Le Temps*:

> São de corpo e de espírito, mato-me antes que a implacável velhice, que me roubou os prazeres, reduza-me a uma carga para mim e para os outros. Há anos prometi a mim mesmo não ir além dos setenta anos. Fixei a época do ano para a minha partida da vida e preparei o modo de executar minha resolução. Morro com a satisfação suprema de ter a certeza de que, em futuro próximo, a causa a que me consagrei durante 45 anos triunfará. Viva o comunismo. Viva o socialismo internacional.

Émile Durkheim, o conhecido sociólogo francês, produziu o primeiro tratado sociológico sobre o suicídio.[41] E concluiu que o suicídio acontece pela falta de integração na sociedade religiosa, na sociedade doméstica e familiar e na sociedade política. Para Durkheim, o suicida é como um barco que navega sozinho no mar da vida. Ele não tem vínculos com a sociedade. Esse é o suicídio egoísta.

---

[41] White, John. *As máscaras da melancolia*, p. 122.

Durkheim fala sobre três tipos de suicídio: o egoísta, o altruísta e o anômico, ou seja, o sem lei.

O suicídio egoísta é resultado da desintegração dos laços sociais. A desintegração de qualquer sociedade lança os indivíduos cada vez mais sobre si mesmos, tornando-os mais inclinados a orientar a sua conduta por meio de critérios particulares. Essa perda de vínculos empurra as pessoas para uma solidão existencial, em que elas perdem o significado da própria vida.

O suicídio altruísta é o suicídio nos interesses da sociedade, às vezes, sob a coerção da sociedade. Nas tribos primitivas, os idosos que não são mais úteis e, às vezes, também as viúvas, jejuam até morrer ou se matam. Os discípulos de um grande líder podem tirar a própria vida quando o líder morre.

O suicídio anômico pode ter mais importância para nós. Durkheim analisou, por exemplo, a estreita relação entre as crises econômicas e o suicídio. O suicídio ocorre por causa de uma desorientação, ou choque, que uma pessoa sofre por uma abrupta mudança em sua vida que exige uma nova forma de conduta, por exemplo, uma falência financeira ou uma doença que o prostra na cama.[42]

Alvin Tofler, em seu livro *O choque do futuro*, aponta para as mudanças repentinas e radicais que nosso mundo está sofrendo, desestabilizando as pessoas e levando-as à paranóia e ao suicídio. Vivemos hoje a impessoalidade das grandes cidades. Igrejas eletrônicas e novelas de

---

[42] WHITE, John. *As máscaras da melancolia*, p. 122-126.

televisão fornecem às pessoas cada vez mais comunidades ilusórias que não as podem acolher. Um aparelho de televisão não pode nunca lhe dar um abraço. A moderna tecnologia, a desumanização, a construção de muros, em vez de pontes, têm criado um campo fértil para o suicídio.

O suicídio é um tema muito complexo. É um ato descaridoso enfeixar todos os casos de suicídio numa única causa e jogá-los na mesma vala comum. Existem causas variadas e, aqui, enumeraremos algumas:

DEPRESSÃO

Jay Adams, eminente escritor americano, equivoca-se ao delimitar a depressão apenas como um pecado cometido pelo paciente.[43] A depressão pode até ser consequência de um pecado específico, mas não pode ser limitada a isso. A depressão é uma doença, não uma escolha de vida. A depressão é, certamente, a doença que provoca o mais agudo sofrimento. O psiquiatra Mauro Maldonato, em seu brilhante artigo *Os aposentos vazios da depressão*, afirma que estimativas da Organização Mundial de Saúde (OMS) apontam a depressão como a doença psiquiátrica mais diagnosticada atualmente: ocupa o quarto lugar entre os maiores problemas de saúde do Ocidente e é a segunda causa de invalidez, precedida apenas pelas doenças cardiovasculares. O chamado distúrbio depressivo maior caracteriza-se

[43] ADAMS, Jay E. O *manual do conselheiro cristão*. São Paulo, SP: Editora Fiel, 1982, p. 345.

por pelo menos duas semanas de humor deprimido ou perda de interesse na maior parte das atividades, acompanhadas de, ao menos, quatro sintomas, como sentimentos de desesperança, desvalia, culpa e desamparo, associados a alterações de apetite e do sono, fadiga, retardo ou agitação psicomotora, diminuição do desempenho sexual, dificuldade de concentração e raciocínio e pensamentos recorrentes sobre a morte, com ou sem tentativas de suicídio.[44]

Edmeia Williams define depressão como uma doença que começa com uma leve ausência de prazer e se estende até o mais profundo estado de desânimo no qual a pessoa só deseja a morte.[45] Léo Matos, descrevendo a anatomia da depressão, nomeia seus sintomas: tristeza, sentimento de inferioridade, pessimismo, sensação de cansaço, sensação de incapacidade, sensação de estar sem coragem, sensação de desesperança, tensão, sensação de melancolia, ansiedade, dor de cabeça, falta de apetite, constipação, pensamentos suicidas.[46]

Andrew Solomon definiu a depressão como engolir o seu próprio enterro a cada dia.[47] É a doença do século. Ataca ricos e pobres, velhos e crianças, religiosos e ateus. A doença da mente é uma doença real e tem graves

---

[44] MALDONATO, Mauro. Os aposentos vazios da depressão. In: *Viver Mente e Cérebro*. Maio 2006, p. 38,41.

[45] WILLIAMS, Edmeia. *Tesouros escondidos*. Rio de Janeiro, RJ: MK Editora, 2004, p. 77.

[46] MATOS, Léo. *Morte e suicídio, uma abordagem multidisciplinar*. Petrópolis, RJ: Editora Vozes, 1984, p. 169.

[47] SOLOMON, Andrew. O *demônio do meio-dia*, p. 29.

impactos no corpo. John White diz que até os homens mais piedosos foram tomados de profundas depressões. Davi, Jeremias, John Bunyan, Martinho Lutero, Charles Spurgeon e muitos outros foram suas vítimas. Até o Filho do homem gemeu uma vez: *A minha alma está triste até a morte* (Marcos 14:34).[48]

A depressão é resultado de um acúmulo no corpo ou na alma. É como se o lixo se acumulasse aos poucos e você, assim, começa a sentir o peso dos detritos que carrega. Em ambos os casos ela precisa de tratamento.[49]

Andrew Solomon diz que a depressão ceifa mais anos que a guerra, o câncer e a AIDS juntos. Outras doenças, do alcoolismo aos males do coração, mascaram a depressão quando esta é a causa; se levarmos isso em consideração, a depressão pode ser a maior assassina sobre a face da terra.[50] A depressão pode ser fatal. John Wilson, um ex-candidato a prefeito de Washington, D.C., que cometeu suicídio, disse certa vez: "Acredito que mais pessoas estão morrendo de depressão que de AIDS, problemas cardíacos, pressão alta, ou outra coisa, simplesmente porque acredito que a depressão faz surgir todas essas doenças". O suicídio, em suas muitas formas, é uma complicação da depressão. Estatísticas feitas nos Estados Unidos revelam que 15% dos deprimidos finalmente cometerão suicídio.

---

[48] WHITE, John. *As máscaras da melancolia*, p. 152.

[49] WILLIAMS, Edmeia. *Tesouros escondidos*, p. 78,79.

[50] SOLOMON, Andrew. *O demônio do meio-dia*, p. 25.

Essa doença cresce mais nos países desenvolvidos e acelera o passo até mesmo entre as crianças.

A depressão rouba o sono, tira o apetite e esmaga a força. Deixa suas vítimas estioladas, secas e vazias como um morto-vivo. Empurra o indivíduo para a caverna da solidão, embaça seus olhos, esvazia seus sonhos, surrupia suas energias e o faz flertar com a morte. A depressão, via de regra, é desencadeada por circunstâncias que nos sobrevêm e tiram o leme da vida de nossa mão. Uma perda, um relacionamento rompido, uma doença, um sonho não realizado, um amor não correspondido, um divórcio traumático, um luto na família, esses fatores podem abrir o dique de uma grande represa e provocar uma inundação em nosso interior. George Brown disse que a depressão é uma reação a uma perda passada, enquanto a ansiedade é uma reação a uma perda futura.

O diagnóstico da depressão é tão complexo quanto a doença. A depressão não pode ser medida nem diagnosticada com a precisão de um raio-X, mas atinge pessoas diferentes de modos diferentes. A depressão de uma pessoa pode parecer totalmente diferente da depressão de outra. Alguns resistem à doença, outros capitulam, impotentes em suas garras. Andrew Solomon diz que, se você se sente mal sem nenhum motivo durante a maior parte do tempo, então está deprimido.[51] John White diz que nem todos os doentes usam a palavra depressão para expressar o que sentem. Podem dizer coisas assim: "Estou desanimado, abatido. Tenho vontade de desistir de tudo. Sinto-me derrotado. Já não

---

[51] SOLOMON, Andrew. *O demônio do meio-dia*, p. 19.

consigo mais orar. Deus não é real. Minhas orações não passam do teto. Sinto-me como se fosse um fracasso total".[52]

Como dissemos, as causas da depressão são variadas e, muitas vezes, difíceis de diagnosticar, porém o ritmo frenético da vida moderna, a alienação das pessoas, o colapso da estrutura familiar, a solidão endêmica, a bancarrota moral e o naufrágio espiritual desencadeiam e agravam a depressão. Alguns estudiosos apontam a falta crônica de sono como uma das principais causas que desencadeiam a depressão. Nessa mesma trilha de pensamento, John White diz que as depressões não são iguais em intensidade nem mesmo em qualidade. Tanto a mudança de humor quanto a enfermidade, a loucura ou a prisão espiritual podem ser chamadas de depressão. A depressão tem muitas faces. Assim, ela não pode ser aliviada com uma simples fórmula, pois surge por intermédio de numerosos e complexos mecanismos e, às vezes, chega a profundezas em que suas vítimas ficam além do alcance da comunicação verbal. Existem mistérios nela que permanecem não resolvidos.[53]

Durante muitos anos, Albert Ellis defendeu que o sentimento de falta de esperança é a raiz da depressão, ou seja, uma opinião negativa de si mesmo, uma interpretação negativa das experiências e uma visão negativa do futuro. A tríade está associada com a

[52] White, John. *As máscaras da melancolia*, p. 64.

[53] White, John. *As máscaras da melancolia*, p. 13.

desesperança, a causa primordial da depressão.[54] Já o sociólogo E. Becker entende que a depressão vem depois de uma perda simbólica de haveres (poder, prestígio, identidade e outros).[55]

A depressão é como uma trepadeira que sufoca uma árvore, arrancando dela sua seiva. Ela alimenta-se de nossa seiva. Tira o oxigênio e sufoca as pessoas, deixando-as num estado de total desgosto pela vida. Tornar-se deprimido é como ficar cego, a escuridão inicial gradualmente acaba englobando tudo; é como ficar surdo aos poucos, em que se ouve cada vez menos até que um silêncio terrível o envolve. É como sentir sua roupa lentamente se transformando em madeira pesada e isolante.[56] A depressão é o modo de seu corpo lhe dizer para parar de abusar dele; é a prova de que as coisas estão desmoronando.

John White classifica as enfermidades depressivas em depressões primárias (bipolar e unipolar) e depressões secundárias. As depressões primárias são desordens de humor que não estão associadas com outra forma de enfermidade mental ou física, nem com outras condições, como alcoolismo, homossexualidade ou coisas parecidas. Depressões secundárias, de outro lado, são aquelas que surgem no decorrer de enfermidades ou por causa das condições já mencionadas. Depressões bipolares são depressões primárias que se caracterizam

---

[54] ELLIS, Albert. Rational psychotherapy, *Journal of General Psychology*, 59, (1958): 35-49.

[55] BECKER, E. *The revolution of psychiatry*. Londres: Free Press of Glencoe, 1964, p. 108-135.

[56] SOLOMON, Andrew. O *demônio do meio-dia*, p. 48.

não apenas por mergulhos no desespero, mas também por subidas eufóricas e, até mesmo, excitação maníaca. A enfermidade bipolar pode ser confundida com instabilidade emocional. É a enfermidade chamada de psicose maníaco-depressiva. Depressões unipolares não apresentam altos e baixos, mas, como seu nome sugere, são mergulhos nas trevas aliviados apenas pela volta ao estado normal.[57]

O pai da psicanálise, Sigmund Freud, entendeu a depressão como uma ira autorreflexa, ou seja, a depressão consiste em ira voltada contra a própria pessoa. O paciente perde o interesse pelo mundo exterior, perde a capacidade de amar e sente-se inapto para toda e qualquer atividade. É dominado pela diminuição de valor próprio até o ponto de autorrecriminações e autoinjúrias, culminando com uma expectativa ilusória de castigo.[58]

A Bíblia registra três casos de pessoas comprometidas com a vida que pediram para si a morte, porque foram fisgadas pelo anzol da depressão: Moisés, Elias e Jonas. Uma pessoa deprimida flerta com a morte e a deseja ardentemente. Uma pessoa deprimida não deseja morrer porque odeia a vida, mas porque ama a vida o suficiente para querer o fim da dor. No salmo 38, Davi registra uma dolorosa depressão que o arrebatou em suas possantes garras, sugando-lhe a seiva da vida. Embora a fé cristã não nos impeça de passar pela depressão, ela nos dá alento para enfrentá-la. Andrew Solomon, embora

---

[57] White, John. *As máscaras da melancolia*, p. 50.

[58] Freud, Sigmund. *Mourning and melancholia*. New York: Collier, 1917, p. 165.

não professe a fé cristã, reconhece seu valor, quando diz: "Segundo a doutrina cristã, não é permitido ao indivíduo cometer suicídio, porque sua vida não lhe pertence. Você administra sua vida e seu corpo, mas eles não são seus para que você os destrua. Você não luta contra seus problemas apenas com o que tem dentro de si; você acredita que está lutando contra seus problemas com Jesus Cristo, com Deus Pai e com o Espírito Santo.[59]

Ao longo da História, homens santos de Deus também lidaram com a depressão. John Piper, em seu livro *O sorriso escondido de Deus*, descreve a história de três homens que travaram grandes lutas contra a depressão: John Bunyan, David Brainerd e William Cowper. Bunyan escreveu *O peregrino*, o livro mais lido no mundo depois da Bíblia, enquanto esteve preso quatorze anos em Bedford, na Inglaterra, pelo simples fato de pregar o evangelho em praça pública. Através das grades de sua prisão, ele via sua filha primogênita cega vivendo em grandes privações. Quando os tentáculos da depressão enfiavam nele suas garras, ele buscava em Deus abrigo e, em vez de capitular sob o peso esmagador da depressão, escreveu o mais fantástico romance evangélico de todos os tempos.

David Brainerd, jovem americano, missionário entre os índios peles-vermelhas no século 18, morreu de tuberculose aos 29 anos de idade. Entregou-se de corpo e alma à causa da evangelização desses pobres índios antropófagos e não descansou sua alma enquanto não os viu, às centenas, sendo convertidos ao evangelho. Nessa árdua

---

[59] SOLOMON, Andrew. *O demônio do meio-dia*, p. 125.

empreitada, muitas vezes foi assaltado pela depressão, mas triunfou. Sua vida curta não empalideceu seu impacto duradouro. Ele ainda hoje inspira homens e mulheres ao redor do mundo. João Wesley chegou mesmo a dizer que a leitura do diário desse jovem missionário era a mais importante depois da Bíblia.

William Cowper, poeta inglês, escreveu muitos hinos conhecidos e cantados ainda hoje. Ele sofria de depressões tão avassaladoras que algumas vezes tentou o suicídio. Cowper precisou ter um amigo próximo monitorando-o e acompanhando-o ao longo da sua jornada para não dar cabo da vida nas horas mais sombrias da depressão recorrente. Cowper retrata a carranca da depressão num de seus versos: "Eu, nutrido de discernimento, num túmulo de carne, estou enterrado acima do chão".[60]

Andrew Solomon, que enfrentou crises profundas de depressão depois de ver sua mãe se matar com uma dose letal de remédio, dá um conselho àqueles que estão sufocados pelo arrocho da depressão: "Ouça as pessoas que amam você. Acredite que vale a pena viver por elas, mesmo que você não acredite nisso. Busque lembranças que a depressão afasta, e isso lhe fará bem, mesmo que cada passo pese uma tonelada. Coma, mesmo quando sente repugnância pela comida. Seja razoável consigo mesmo, quando você tiver perdido a razão. Esses tipos de conselhos são lugares-comuns e soam bobos, mas o caminho mais curto para sair da depressão é não gostar

---

[60] Cowper, William. *The poetical works of William Cowper*. Ed. H. S. Milford. Oxford: Oxford University Press, 1950, p. 290.

dela e não se acostumar com ela. Bloqueie os terríveis pensamentos que lhe invadem a mente".[61]

Em seu livro O *demônio do meio-dia*, Andrew Solomon ainda diz que a depressão precisa ser tratada com terapia, remédio e fé. Pelo fato de a depressão ser uma doença, e não uma escolha de vida, você precisa de ajuda para vencê-la. Os remédios tratam a depressão, e o terapeuta, o depressivo. No entanto, a depressão nos prega peças, pois, quando mais precisamos das pessoas, nós não as queremos por perto.

Na Bíblia, 1Reis 19 registra a grave depressão que atingiu o profeta Elias. Ele foi um gigante. Num tempo de apostasia e perseguição religiosa, foi ao palácio do rei Acabe e entregou-lhe uma mensagem de severo juízo: anunciou ao rei que nos três anos seguintes não haveria chuva nem orvalho sobre a terra. A confiança em Baal, como o deus da fertilidade, cairia em absoluto descrédito. Depois que Elias deixa o palácio, Deus lhe ordena a esconder-se junto à fonte de Querite. Lá, Deus sustentou Elias milagrosamente, dando-lhe pão e carne. Lá, Elias bebeu da torrente enquanto a terra de Israel era castigada pela seca. Lá, Elias aprendeu a depender do provedor mais que da provisão. Contudo, um dia a fonte secou, e Deus disse para Elias ir para Sarepta. Nesse tempo, Elias era o homem mais procurado, vivo ou morto, em Israel e nas nações vizinhas. Deus o tira da sequidão e o joga na fornalha. Ele sai de Querite para não morrer de sede e quase morre de fome em Sarepta. A mulher viúva que devia sustentá-lo estava morrendo

[61] SOLOMON, Andrew. O *demônio do meio-dia*, p. 29.

de fome. Elias é usado por Deus para multiplicar o azeite e a farinha daquela mulher, para preservar sua vida e a vida do seu filho. Mais tarde, porém, o filho daquela viúva morre e ela coloca a culpa em Elias. Ele, em vez de se defender, orou, e Deus ressuscitou o menino. Ela, a seguir, reconheceu que ele era um homem de Deus, e que a Palavra de Deus na boca dele era verdade. Elias estava preparado para o grande confronto. Então, Deus o manda manifestar-se a Acabe, e Elias, corajosamente, aparece diante do rei, confronta-o e chama-o de perturbador de Israel. Confronta o povo e ordena-lhe a não ficar em cima do muro. Confronta os profetas de Baal e escarnece da confiança vã que eles depositavam num ídolo impotente. Elias, no cume do Carmelo, ora a Deus, e o fogo do céu desce sobre o altar, e o povo cai por terra reconhecendo que só o Senhor é Deus. Depois de remover Baal do caminho, Elias sobe ao cume do monte Carmelo e ora pela chuva. As torrentes descem em catadupas, e a restauração brota para a nação sofrida.

Nesse momento, a rainha Jezabel, mulher feiticeira, assassina e má, envia um recado ao profeta Elias, alertando-o de que no dia seguinte ele seria morto como os profetas de Baal haviam sido. Esse gigante de Deus, para poupar a própria vida, foge e enfia-se numa caverna, intoxicado pelo veneno da autopiedade. Elias ficou deprimido. Vejamos quais foram as causas da depressão de Elias:

Em primeiro lugar, *ele tirou os olhos de Deus e colocou-os nas circunstâncias.* Elias, por um momento, pensou que sua vida estava nas mãos de Jezabel, e não nas mãos de Deus. Ele, que já havia experimentado tantos milagres de Deus, viu-se dominado pelo medo. Foi derrotado não pelas circunstâncias, mas por seus sentimentos. O problema real de Elias não era Jezabel, mas seu medo. O gigante maior que ele estava enfrentando estava dentro dele mesmo. Quando tiramos os olhos de Deus, o mundo a nossa volta nos ameaça e nos intimida.

Em segundo lugar, *quando ele mais precisava de companhia, ele dispensou o seu amigo.* Elias tinha um moço que o acompanhava, mas na hora da depressão quis ficar sozinho. Gente precisa de Deus e gente precisa de gente. Uma das peças que a depressão nos prega é que, na hora em que mais precisamos de gente do nosso lado, queremos ficar sozinhos. Nós nos trancamos em quartos escuros e nos encolhemos em nossa caverna existencial. A solidão não é uma boa companhia para quem está deprimido.

Em terceiro lugar, *Elias olhou para a vida com as lentes embaçadas pelo pessimismo.* A depressão tem a capacidade de criar um nevoeiro em nosso caminho, de pôr uma película em nossa retina e de nos fazer olhar para a vida com lentes escuras. Elias pediu para morrer. Estava desanimado com a vida e flertava com a morte. Ele pensou que estava sozinho e sentiu a solidão lhe dando um abraço estrangulador. Deus disse a Elias que havia sete mil que não haviam se dobrado a Baal. Quando passamos por uma depressão, pensamos que nosso problema é o maior do mundo e que ninguém jamais passou pelo vale sombrio em que estamos.

Em quarto lugar, *Elias queria morrer por achar a vida um peso insuportável.* Uma pessoa deprimida sente-se esmagada debaixo de um rolo compressor. Sente suas emoções amassadas. Perde completamente o desejo de viver. Uma pessoa deprimida vê o presente como um fardo e o futuro como uma ameaça. A depressão nos tira a vontade de viver e a força para isso. Aperta nosso pescoço e nos estrangula. Tira nosso oxigênio e nos mostra a carranca da morte. A depressão esvazia nossos sonhos e aborta nossos projetos. Elias, por causa de sua depressão, fez uma oração precipitada e tola, pedindo para si a morte, quando o projeto de Deus era trasladá-lo para o céu sem que ele passasse pela morte.

Em quinto lugar, *Elias perdeu a perspectiva do futuro.* Ele pensou que seu ministério estava acabado e que o melhor de sua vida tinha ficado para trás. Ele olhou para o futuro e só viu motivo para desesperar-se. Contudo, o melhor da sua vida estava por vir. Deus ainda o levantaria para ungir um profeta, que tomaria seu lugar, e um rei, que tomaria o lugar de Acabe. Em breve, Deus mandaria uma escolta celestial para levar Elias para o céu sem que ele passasse pelo vale sombrio da morte.

Como Deus curou a depressão de Elias?

Em primeiro lugar, *tratando dele por meio da sonoterapia.* Deus colocou Elias para dormir. A depressão agita a mente, perturba o espírito e transforma a noite num fantasma aterrador. Uma pessoa deprimida não consegue desligar-se. Há uma inquietude perturbadora que a atormenta sem cessar. Uma pessoa deprimida é constantemente atormentada pela insônia ou pelo pesadelo. A mente não descansa. Elias precisou dormir para arrancar aquela dolorosa perturbação de sua mente. Uma noite bem dormida renova as energias, revitaliza o ânimo e dá força para prosseguir.

Em segundo lugar, *tratando dele por meio de um cardápio especial.* Elias estava exausto e faminto. Deus preparou para ele uma mesa no deserto e renovou suas energias. Uma pessoa deprimida perde o apetite e sente náuseas ao olhar para a comida. No entanto, ela depende do alimento para a sua sobrevivência e foi isso que Deus fez com Elias, servindo-lhe pão e água.

Em terceiro lugar, *tratando dele por meio da terapia do desabafo.* Elias estava enfiado numa caverna, curtindo sua dor. Deus, portanto, vai ao encontro dele e pergunta-lhe: *Que fazes aí, Elias?*. Elias devia não apenas sair da caverna, mas tirar a caverna de dentro de seu peito. Ele devia jogar para fora os sentimentos que o atormentavam. Devia desabafar. Acumular as pressões da vida nos porões da alma pode nos levar a um estado de desânimo. Devemos fazer uma faxina constante nos arquivos de nossa mente e tirar toda a poeira que vai grudando com o tempo em nosso coração. Não podemos engolir o veneno que é jogado contra nós. A diferença entre o apóstolo Pedro e Judas Iscariotes é que Pedro, embora tenha negado a Jesus, vomitou o veneno e arrependeu-se. Judas traiu a Jesus e engoliu o veneno, enchendo-se de remorso. Tivesse ele vomitado o veneno e se voltado para Jesus em arrependimento, sua história teria outro fim. Há cura no desabafo. Há libertação para a alma quando tiramos as farpas que ferem os nossos sentimentos.

Em quarto lugar, *tratando dele por meio de uma nova perspectiva de futuro.* Uma pessoa deprimida não vislumbra nada de bom no futuro. Ela é absolutamente pessimista a respeito do presente e profundamente negativa em relação ao futuro. Deus abriu os olhos de Elias e mostrou para ele que o melhor estava pela frente. Deus removeu o entulho de seu coração, desembaçou os olhos de sua alma e deu a ele uma nova perspectiva de futuro. Elias foi curado, restaurado e recolhido ao céu.

Nem todas as pessoas, porém, têm o mesmo sucesso no tratamento da depressão que Elias teve. Há muitos que naufragam e são arrastados pelas torrentes impetuosas dessa doença do século.

Um casal muito rico já vivia a fase outonal da vida. Toda a fortuna granjeada ao longo dos anos estava destinada a um filho único, jovem culto, bonito e cobiçado. Seu pai era médico famoso, e sua mãe, empresária de sucesso. Renato[62] nasceu e cresceu num berço de ouro. Estudou nas melhores escolas e ainda galgou bem cedo os degraus de uma universidade famosa. Viajou pelo mundo e teve todas as experiências cobiçadas pela juventude. Ele era um jovem pacato, brilhante e retraído. O dinheiro dos pais, o diploma universitário e a promessa de uma carreira brilhante não foram suficientes para dar sentido a sua vida. Vivia sempre preso no cipoal de uma depressão crônica. Nas crises mais agudas, chegava a falar abertamente sobre o desejo de morrer. Seus pais, recém-convertidos à fé cristã, oravam por ele e buscavam todos os meios disponíveis, terapêuticos e medicamentosos. Acompanhei esse distinto casal na luta pela vida do filho. Contudo, um dia, ao chegarem em casa, encontraram Renato caído numa poça de sangue, com um revólver em uma das mãos e uma carta tingida de sangue na outra.

---

62 [NA] Todos os casos mencionados neste livro são reais, porém os nomes são fictícios.

Ele não conseguira superar a dor da depressão e preferiu cortar pela raiz sua vida tão jovem e promissora. Andrew Solomon pinta com cores fortes esse drama: "Conheço a sensação de querer matar a depressão e ser incapaz de fazê-lo exceto matando o eu que ela aflige".[63]

Distúrbios psicológicos

No início dos anos 90, o congresso americano pediu a seis proeminentes vencedores do Prêmio Nobel de ciências que indicassem dois temas para uma pesquisa importante. Cinco dos seis escolheram o cérebro. O Congresso declarou o período de 1990 a 2000 como a "Década do Cérebro" e dedicou vastos recursos à pesquisa do tema. Foi uma decisão importante, porque, a partir daí, as pessoas começaram a entender que a doença mental é uma doença como as outras e, por conseguinte, alocaram mais recursos para seu tratamento.[64]

Uma pessoa pode chegar a um estado tal de descontrole e de distúrbio psicológico que chega a perder a capacidade de refletir com lucidez. A mente fica embotada, e as emoções confusas. Então, a perspectiva da vida torna-se um cenário cinzento.

Esses distúrbios podem ter causas endógenas ou exógenas. Ou seja, podem vir de dentro ou de fora; podem ter causas genéticas ou circunstanciais. De qualquer forma, no pico da crise, a pessoa que sofre essa espécie de distúrbio enxerga a vida com desesperança, e não vê

---

[63] SOLOMON, Andrew. O *demônio do meio-dia*, p. 247.

[64] SOLOMON, Andrew. O *demônio do meio-dia*, p. 332.

nenhuma saída para o seu sofrimento senão pela porta do suicídio.

Muitas pessoas pressionadas por esses distúrbios tornam-se inconsequentes em seus atos e incapazes de gerenciar a própria vida. A pressão psicológica, o esmagamento emocional e o desarranjo do mundo interior são tão fortes que, às vezes, aqueles que chegam ao suicídio não podem ser responsabilizados por seu ato extremo. Tenho aconselhado pessoas que tentaram o suicídio. Muitas delas, a grande maioria, não são pessoas perturbadas emocionalmente. São coerentes, inteligentes, centradas e amam a vida e as pessoas à sua volta. Contudo, quando assaltadas por esse *demônio do meio-dia*, perdem o brilho dos olhos, a alegria da vida, o sentido de lutar e de viver e começam a ver que a morte é a única saída para esse desespero existencial.

Rogério estava brigado com a mulher. Tornara-se viciado em pornografia a ponto de sua mente ficar completamente entupida com as imoralidades das películas. Abastecia seus olhos todos os dias com cenas fantasiosas e constrangia sua mulher a ver com ele todas essas aberrações. Confrontei Rogério acerca de sua devassidão e aconselhei a ele que fizesse um acompanhamento psicológico. Sua mulher, não suportando mais seu comportamento estranho e desequilibrado, rompeu com o casamento. Rogério atolou-se ainda mais no pântano da imoralidade. Sua mente estava cativa; seus valores, destruídos; sua alma, entupida de veneno. Perdi o contato com Rogério por dois anos. Até que, um dia, soube de seu paradeiro e telefonei para ele. Ele estava em profunda depressão. Os distúrbios de sua mente apontavam um desequilíbrio acentuado. Rogério disse-me que estava preso num cipoal, e que as loucuras de sua mente o perturbavam de dia e de noite. Ele prometeu vir ao meu escritório no dia seguinte para retomarmos o aconselhamento. Todavia, ao chegar ao gabinete, no dia seguinte, abri o jornal e, ali, estava estampada em letras garrafais a dramática notícia de seu suicídio. Rogério deu um tiro no peito, ceifando sumariamente sua vida.

Desilusão nos relacionamentos

Muitos suicídios são passionais e ocorrem como um resultado direto de relacionamentos rompidos. Os sentimentos de perda, desvalorização, desprezo, rejeição e abandono levam as vítimas desse infortúnio a se desgostarem com a própria vida, perdendo, assim, o desejo de recomeçar ou de investir em outra relação.

Normalmente, essa relação rompida é marcada por ciúmes, descontrole emocional e muita insegurança. A pessoa é prisioneira de um sentimento doentio, pois deixa de focar o sentido da vida em Deus e no amor-próprio, e a outra pessoa passa a ser o centro. Porém, quando esse chão escorregadio foge dos pés, desespera-se com a vida a ponto de não enxergar outra solução a não ser a morte. Marcos era um jovem simpático, alegre e tratável. Era amado por sua família e sempre correspondia a esse amor. Até o dia em que uma briga com a namorada abriu uma ferida incurável em sua alma. A dor de perder o objeto de seu amor tornou-o agressivo e descontrolado. Sem ouvir o conselho dos pais nem atender ao apelo dos amigos, Marcos tomou a decisão de vingar-se da pessoa amada, ceifando a própria vida.

Tanto Émile Durkheim quanto Sigmund Freud defenderam que o suicídio é muitas vezes um impulso assassino de uma pessoa contra outra, desferido pela própria pessoa em si mesma. O psicólogo Edwin Shneidman, citado por George Colt, disse, mais recentemente, que o suicídio é "assassinato em 180 graus".[65] Karl Menninger, que tem escrito extensamente sobre esse tema, disse que o suicídio requer a coincidência entre "o desejo de matar, o desejo de ser morto e o desejo de morrer".

Acompanhei Roberta, uma mulher inteligente, apresentável e amada pela família por longos meses. Tinha tudo para ser feliz. Contudo, um dia, descobriu que seu casamento estava naufragando. Buscou alívio para sua dor nas doses cada vez mais excessivas de remédios. Quanto mais seu marido se afastava, tanto mais ela perdia o gosto pela vida. Por colocar a razão da sua vida num relacionamento que estava morrendo, não suportou a dor de viver sem ver seu amor correspondido e saltou nos braços da morte, acabando de vez com o fio de esperança que lhe restava depois de tudo que a desesperança lhe trouxera.

Acompanhei o caso de Pedro, homem muito religioso, que vivia uma crise conjugal crônica. Sua mulher esfriara na relação conjugal. Nunca estava disponível para a relação íntima. Um dia, ele me telefonou e disse: "Eu

---

[65] Colt, George. *The enigma of suicide*. New York: Summit Books, 1991, p. 196.

estou com um revólver na mão e vou me matar. Minha mulher se recusa a fazer sexo comigo há vinte anos. Eu prefiro ser um suicida a ser um adúltero". Depois de uma longa conversa, Pedro desistiu de tirar sua vida e resolveu divorciar-se. Hoje, ele está casado com outra mulher e reconstruiu sua vida.

Valdemar Augusto Angerami registra o caso de Francisco de Paula, garçom de um renomado restaurante de São Paulo.[66] Casado com Cida, tinha dois filhos. Seu casamento foi marcado por muitos atropelos. Discutia constantemente com Cida por ela sair de casa e voltar tarde sem lhe dar justificativas plausíveis. Até que um dia, Cida disse para Francisco que estava envolvida com outro homem, e que sairia de casa para morar com ele e também levaria os dois filhos. Francisco deu um soco no rosto de sua mulher e foi para a rua beber. De volta ao lar, no dia seguinte, tinha a esperança de ainda salvar seu casamento. Mas seu casamento havia acabado. Cida foi embora com os filhos e deixou Francisco como um náufrago solitário numa ilha desértica. Amargurado com a vida, ele perdeu o trabalho e mergulhou de cabeça no alcoolismo. Sem condições de cuidar de si mesmo, foi morar na rua. Tornou-se bêbado e mendigo e passou a morar debaixo de marquises na solitária cidade de São Paulo. Convivia com ratos e baratas, sob viadutos sujos e úmidos, curtindo dor e solidão, sem o consolo do lar. Um dia, Francisco viu sua mulher e seus filhos na companhia do outro marido. Seu coração disparou, e

---

[66] ANGERAMI, Valdemar Augusto. *Suicídio: fragmentos de psicoterapia existencial*, p. 78-94.

uma dor imensa invadiu sua alma. Bebeu naquela noite a ponto de quase perder os sentidos. Naquela madrugada, Francisco, sentindo-se um lixo humano, jogou-se sob as rodas de um caminhão de lixo. Ficou todo quebrado, mas a morte fugiu dele. A dor da solidão, entretanto, tornou-se ainda mais aguda que a dor dos ferimentos. A destruição de seu casamento e a ausência de seus filhos roubaram de Francisco a vontade de viver e a força para lutar. O maior desejo de sua vida lhe foi negado. Mesmo jogado num leito de hospital, faltou-lhe o calor de um beijo dos filhos para aquecer-lhe a face. Francisco sobrevivera à tentativa de suicídio, mas por dentro já se sentia morto.

Perdas financeiras

Muitas pessoas desesperam-se ao cair no opróbrio da perda súbita dos bens. Acostumadas ao conforto, à fartura e ao fausto, não se sentem encorajadas para recomeçar a vida pisando o duro chão da pobreza. A revista *Veja* relata que dez meses após a passagem do furacão Katrina, que matou 1.577 pessoas, em Nova Orleans, nos Estados Unidos, a cidade ainda está longe de se recuperar. Uma pesquisa da universidade local revela que a população está reduzida à metade, sofre com o desemprego, a falta de moradia e a depressão. Por conseguinte, os casos de suicídio triplicaram. A situação dos habitantes de Nova Orleans depois do furacão Katrina ficou assim: 25% não têm residência fixa; 25% estão deprimidos; 33% perderam sua fonte de renda; 35% ficaram sem emprego. O índice de suicídios cresceu explosivamente depois da tragédia. Antes do Katrina, registravam-se nove suicídios por 100 mil habitantes. Depois do Katrina, registram-se 26 por 100 mil habitantes.[67]

O suicídio acontece mais entre os ricos que entre os pobres. Acontece mais entre aqueles que perdem os bens que entre aqueles que nunca os tiveram. A dor da perda é maior que a dor de nunca ter tido. Poucas pessoas dão cabo da própria vida por causa da pobreza em que sempre viveram, mas muitos sucumbem diante da alteração brusca do *status* social. A mulher de Jó, acostumada à riqueza, ao ver o marido amargando um avassalador infortúnio, aconselhou-o a amaldiçoar a Deus e morrer. Para ela, o suicídio era um destino mais digno e mais desejável que o sofrimento.

Era meia-noite quando o telefone de nossa casa tocou. Ouvi uma voz cansada e trêmula, dizendo-me que aquela ligação era a última coisa que estava fazendo antes de tirar sua vida. Fiquei gelado do outro lado da linha. Aos poucos, Antônia foi relaxando e abrindo o coração para mim. Falou por mais de duas horas e destrancou o cadeado dos porões de sua alma. Espremeu todo o pus que infectava sua alma. Nascera numa família rica e havia alcançado grandes conquistas financeiras. Não obstante ter vivido num berço de ouro, estava cansada de ver a família desunida, sem amor e sem interesse uns pelos outros. O casamento de seus pais estava rompido. O irmão estava ilhado, cuidando de sua própria vida. Antônia sentia-se só, abandonada pelo pai, esquecida pela mãe, longe de

---

[67] Revista Veja de 28 de junho de 2006, p. 46.

seu irmão. Disse-me que sua última esperança era que a mãe a acolhesse, na hora de sua adversidade. Um terremoto financeiro abalara sua vida. Estava enferma e só. Naquela mesma noite, falei com sua mãe, mas não encontrei nenhuma resposta favorável, nenhum sinal de que os rogos da filha fossem atendidos. Voltei a falar com Antônia. Gastei com ela todo o arsenal de meu conhecimento. Tentei mostrar-lhe todas as facetas belas da vida. Dispus-me a acompanhá-la como terapeuta da alma, mas Antônia desligou o telefone sem falar-me onde estava. No dia seguinte, ela saltou do alto de um prédio e fechou atrás de si a porta da esperança.

Drogas e alcoolismo

Muitas pessoas tentam escapar das garras da depressão, da falta de significado, do medo e da insegurança no álcool. Bebem para esquecer, para lembrar, para afogar as mágoas. Bebem para fugir da realidade ou para enfrentá-la. Bebem por gosto ou por desgosto. Bebem para viver e para morrer. Bebem para ter coragem de enfrentar a vida como ela é ou fugir da sua carranca.

A depressão e o abuso de substâncias químicas estão intimamente ligados. Os deprimidos abusam de substâncias numa tentativa de se livrar da depressão, mas se atolam ainda mais nela. O alcoolismo é uma das principais causas de depressão. Dr. McMillen diz que o álcool é um ladrão de cérebros. Nenhuma droga conhecida pelo homem é mais amplamente usada, e nenhuma outra é mais responsável por mortes, ferimentos ou crimes que o álcool etílico.[68] O álcool é responsável por mais da metade de acidentes e assassinatos. Em todas as regiões do mundo ocidental, cerca da metade das pessoas que são levadas aos pronto-socorros dos hospitais, após uma tentativa de suicídio, estavam alcoolizadas. Os suicídios entre os alcóolatras são muito mais comuns que entre os abstêmios. Andrew Solomon afirma que aproximadamente um terço de todos os suicídios e um quarto de todas as tentativas de suicídio são cometidos por alcóolatras.[69] O alcoolismo está aumentando em todos os países ocidentais, e o álcool acaba com as inibições, isto é, remove os temores e os escrúpulos.[70] Pessoas embriagadas fazem coisas que não se atreveriam a fazer quando estão sóbrias, inclusive investir contra sua própria vida.

O relato bíblico acerca da embriaguez descreve com cores fortes essa dramática realidade:

> *Para quem são os ais? Para quem os pesares? Para quem as pelejas? Para quem as queixas? Para quem as feridas sem causa? E para quem os olhos vermelhos? Para os que se demoram perto do vinho, para os que andam buscando bebida misturada. Não olhes para o vinho quando se mostra vermelho, quando resplandece no copo e se escoa suavemente. No seu fim morderá*

---

[68] McMillen, S. I. *A provisão divina para sua saúde.* São Paulo, SP: Editora Fiel, 1978: p. 25-31.

[69] Solomon, Andrew. *O demônio do meio-dia*, p. 238.

[70] White, John. *As máscaras da melancolia*, p. 128.

como a cobra, e como o basilisco picará. Os teus olhos verão coisas estranhas, e tu falarás perversidades. E serás como o que se deita no meio do mar, e como o que dorme no topo do mastro (Provérbios 23:29-35).

A maconha tira a motivação e interfere no sono. O *crack* é uma droga pesada que tem efeito imediato e danoso no cérebro. As drogas pesadas tendem a causar depressão. A cocaína é uma droga suja que atinge a mente do usuário. A ressaca de cocaína é caracterizada por intensa agitação, depressão e fadiga. Quanto mais viciado se fica, menos prazer se sente, e mais dor se segue a esse prazer fugaz.

As drogas matam mais que as guerras. São as maiores assassinas de nossa juventude. Prometendo viagens psicodélicas e êxtases arrebatadores, as drogas acabam acorrentando suas vítimas com grossas correntes de opressão. Jovens morrem, matam e suicidam-se todos os dias e tombam vencidos nesse campo inglório.

Milhões de jovens que um dia sonharam com a vida e foram o alvo do sonho de seus pais tiveram a vida ceifada precocemente pelas drogas. Muitos morrem vítimas do tráfico, outros em consequência dele. Muitos, depois de uma jornada infeliz e trôpega, tombam vencidos pela *overdose*, deixando um rastro de dor e de feridas profundas na família. Cantores, atores, artistas, estudantes e profissionais liberais tombam constantemente vencidos pelas drogas. Todos os dias, uma dose excessiva ceifa a vida de pessoas preciosas que poderiam encher nossa vida de alegria.

Várias são as causas pelas quais uma pessoa se deixa fisgar pelas drogas:

Primeiro, a curiosidade. Muitos adolescentes são atraídos para as drogas porque têm a curiosidade de experimentar os seus prometidos efeitos.

Segundo, a pressão do grupo. A necessidade de viver inserido na patota faz parte da psicologia do adolescente. Para não se sentir alijado do grupo, participa de todos os desafios, mesmo que seja o uso de entorpecentes.

Terceiro, o desajuste familiar. Muitos tentam escapar das crises familiares, entrando por um caminho de fuga assaz perigoso: as drogas. Em vez de ajudar na solução do problema familiar, cria-se mais um problema, e ainda de maior gravidade.

Quarto, o vazio existencial. O homem foi criado por Deus e para Deus e só encontra sentido para a vida no Senhor. Deus mesmo colocou a eternidade no coração do homem, de tal forma que dinheiro, poder, sexo e sucesso não podem preencher esse vazio. Então, muitos se entregam às drogas para tentar preencher esse vazio e aliviar essa dor.

Quinto, a busca do prazer. O homem é um ser em busca da felicidade. Não há nada de errado na busca do prazer. O problema é contentar-se com um prazer efêmero demais, pequeno demais. O prazer das drogas é uma falácia. O alívio que traz é um engodo. A liberdade que oferece é uma verdadeira prisão. O verdadeiro prazer está em Deus. Só na presença dele existe plenitude de alegria.

O tráfico de drogas é um crime que desafia a lei e deixa as autoridades impotentes. A ganância insaciável atrai e seduz muitas pessoas para esse mercado com cheiro de morte, esparramando esse ácido do inferno que tem sido a maior causa do infortúnio da juventude contemporânea.

As vítimas das drogas e do álcool estão espalhadas por todos os lados. Seus efeitos são vistos nos acidentes de trânsito, nas contendas domésticas, nas brigas de rua, atrás das grades das prisões insalubres, nas clínicas psiquiátricas, nos roubos, nos assassinato, nos estupro, na bestialidade, nos suicídio. Alberto era marido amoroso e pai exemplar. Homem de vida irrepreensível, desfrutava alto conceito na sociedade. Um dia, porém, caiu nas teias do vício. Tornou-se um alcóolatra inveterado. Perdeu todos os seus bens. Sua família começou a passar necessidades. Perdeu a liderança de seu lar e até mesmo o respeito próprio. Conversei várias vezes com Alberto sobre sua situação. Ele sentia vergonha de sua condição, mas não tinha forças para deixar a escravidão do vício. De queda em queda, foi parar na sarjeta. Seus valores absolutos foram todos perdidos e chegou a ponto de envolver-se com prostituição e até mesmo com aliciamento de menores. Foi ao fundo do poço. No auge de sua dependência química, com a alma vazia e com o coração imerso em desespero, deu cabo de sua vida, ingerindo uma dose letal de veneno. Por não buscar o caminho do arrependimento para a vida, saltou na escuridão do suicídio.

Pressão da vida moderna

Os grandes centros urbanos crescem explosivamente. Grandes levas de pessoas, sem moradia, sem emprego e sem sustento, chegam às grandes cidades todos os dias. Os bolsões de miséria se multiplicam nas periferias dos grandes centros urbanos. Além disso, há problemas como poluição, dificuldades de transporte, estresse, solidão, violência e condições desumanizadoras de vida. Essa pressão desemboca em desespero, e este empurra muitos para o suicídio.

O suicídio, entretanto, não é apenas um produto da miséria, mas, muitas vezes, e acima de tudo, do luxo. Os ricos se matam proporcionalmente mais que os pobres. As pessoas cultas se matam proporcionalmente mais que as iletradas. Nos países ricos, o índice de suicídio é maior que nos países pobres. O conhecimento e o dinheiro não são fortes o suficiente para livrar o homem do desespero.

O índice de suicídio entre os jovens no Japão é o mais alto do mundo. A razão disso é a alta exigência da família e a cobrança da sociedade a respeito do desempenho nos estudos e na vida profissional. A impessoalidade crescente das relações, a coisificação do outro e de si próprio, o esvaziamento do eu com o trabalho alienado, a competição e o consumismo, acrescidos ainda da perda de visão do mundo e do sentido da própria vida, conduzem o indivíduo à solidão causada por um desenvolvimento atrofiado, cuja expressão máxima seria o suicídio. Desse modo, quando o indivíduo pratica o suicídio, na verdade, ele conclui um processo que já se desencadeara havia muito tempo.[71]

O jornal O *Estado de São Paulo* publicou uma matéria no dia 16 de junho de 2006 com a seguinte manchete:

---

[71] DIAS, Maria Luiza. *Suicídio: testemunhos de adeus*, p. 61,62.

"Japão aprova lei para tentar reduzir suicídios". O artigo destaca que o Japão, o segundo país mais rico do mundo, tem o maior índice de suicídio no mundo industrializado. As autoridades japonesas estão alarmadas com o aumento vertiginoso de determinados tipos de suicídios, como os chamados "pactos de morte" pela internet, em que várias pessoas planejam uma morte conjunta. O suicídio entre estudantes, por exemplo, teve um aumento de 9,8% em 2005, revela o artigo. A Organização Mundial de Saúde (OMS) indicou que o Japão é o país com o maior número anual de suicídios, com 24,1 casos para cada 100 mil pessoas. Só em 2005, 32.552 pessoas suicidaram-se no país. As razões são as mais variadas: competição nas escolas e nas universidades, dificuldades para achar trabalho e pressão de uma sociedade rigorosa. Segundo o governo, 70% dos suicídios foram cometidos por homens.[72]

Vivemos num mundo competitivo e draconiano. Os fracos são engolidos pelos mais fortes. A cobrança é esmagadora, mas nem todos têm a mesma estrutura para suportar as pressões da vida contemporânea. Hoje vivemos a pressão dos estudos, do vestibular, do trabalho, do casamento, do sucesso.

O índice de suicídio entre os jovens é o mais alto. O suicídio é a terceira maior causa de morte entre eles. Também é alto o índice de suicídio entre aqueles que ficam desempregados na meia-idade e não encontram mais espaço no mercado de trabalho.

---

[72] Jornal O *Estado de São Paulo* do dia 16/06/2006, p. A 12.

Maria Luiza Dias diz que os homens se matam mais, embora as mulheres liderem as tentativas de suicídio; os meios utilizados pelos homens são a arma de fogo, o enforcamento e a precipitação, respectivamente, enquanto as mulheres utilizam o envenenamento e a precipitação; a faixa predominante se localiza entre 20 e 40 anos e, com isso, o suicídio ocorre mais entre indivíduos casados.[73]

Homossexualidade

Um dos maiores índices de suicídio está entre os homossexuais. Acontecem três vezes mais suicídios entre os homossexuais que entre os heterossexuais. Um estudo que durou 21 anos, realizado na Nova Zelândia, com cerca de 1.200 pessoas, mostrou que as pessoas que se identificavam como *gays*, lésbicas ou bissexuais tinham um maior risco de sofrer depressão severa, ansiedade, disfunção de conduta, dependência de nicotina, idealização do suicídio e tentativas de suicídio.[74] As razões desse elevado índice são várias:

O *conflito interior*. Por mais que os ativistas sociais tentem mostrar a normalidade e a naturalidade da homossexualidade, não conseguem neutralizar o grande conflito que esse segmento enfrenta. O homossexual é um ser em conflito consigo mesmo, com sua mente, seu corpo e sua alma.

---

[73] Dias, Maria Luiza. *Suicídio: testemunhos de adeus*, p. 60.

[74] Solomon, Andrew. *O demônio do meio-dia*, p. 187.

O *sentimento de culpa*. A homossexualidade é algo contrário à natureza. A relação homossexual não é uma união de amor, mas uma paixão infame, um erro, uma torpeza, uma abominação para Deus, pois atenta contra o projeto de Deus, o casamento heterossexual (Gênesis 2:24; Êxodo 20:17; 1Coríntios 7:2). Temos uma consciência que não pode ser descartada. Ela sempre acenderá uma luz vermelha cada vez que transgredirmos o limite da lei moral. Tentar abafar a voz da consciência não resolve o peso da culpa.

A *rejeição familiar*. Mesmo as famílias mais liberais não aprovam a homossexualidade como um caminho excelente a seguir. O simples fato de alguma pessoa da família demonstrar tendência para a homossexualidade já traz sofrimento, vergonha e dor para a família.

O *preconceito social*. Os homossexuais são carimbados pelo preconceito desde a infância. Eles são alvos de chacotas e motejos na escola, no trabalho, bem como nos lugares públicos. A mesma sociedade que aplaude as paradas *gays* trata com segregação os homossexuais.

O *conflito espiritual*. A fé cristã não considera a homossexualidade uma prática sexual legítima. Também não aceita a tese de que uma pessoa nasce homossexual nem que essa condição seja irreversível. A Bíblia trata a homossexualidade como pecado, como transgressão, erro, torpeza e abominação, a ponto de enfatizar que aqueles que permanecem nessa prática não podem herdar o reino de Deus.[75] Tenho atendido no gabinete pastoral dezenas de pessoas com esse problema. As causas são as

---

[75] Levítico 18:22; Romanos 1:24-28; 1Coríntios 6:9-12.

mais variadas, mas os efeitos são praticamente os mesmos: vazio e grande conflito espiritual. É mais fácil abandonar a dependência química que a homossexualidade. Alguns se tornam tão prisioneiros que acabam se matando por perder a esperança de uma mudança. Acompanhei Fausto, líder espiritual de uma igreja. Mesmo sendo casado e pai de dois filhos, sentiu-se dominado por impulsos homossexuais. Esse sentimento foi sufocando sua alma a ponto de ele adoecer fisicamente. Entrou em depressão. Sua vida espiritual entrou em colapso. A esposa, inquieta com aquela mudança, sentia-se insegura acerca do amor do marido. O casamento quase naufragou. Fausto desesperou-se e pensou no suicídio como a única saída honrosa para seu dilema. Foi nesse momento que Fausto me procurou. Sua mente estava confusa; seus sentimentos turvos, seu futuro coberto por denso nevoeiro. O aconselhamento pastoral associado ao tratamento terapêutico devolveu a Fausto o propósito da vida, e ele sentiu-se curado e liberto.

Doenças psíquicas

As doenças psíquicas são reais e complexas. Equivocam-se aqueles que as tratam como se fossem apenas distúrbios espirituais ou possessões demoníacas. Uma pessoa pode ter uma doença mental, assim como também tem doença cardíaca ou no estômago. Não deve existir preconceito nem diagnóstico superficial. Alguns pregadores contemporâneos, como T. L. Osborne, cometem grave equívoco ao ensinar que toda doença mental ou esquizofrenia é possessão demoníaca. Do ponto de vista médico, essa postura não é apenas irresponsável, mas também uma clara injustiça para com os pacientes. A atribuição indiscriminada de toda sorte de males ao diabo e seus demônios é uma distorção aberrante do ensino bíblico.

Muitos pacientes chegam a tal estado de avanço na doença psíquica que se tornam inconsequentes em seus atos morais. São capazes de tirar a vida de outrem ou a sua própria. Conheci uma jovem amável e bela, que enchia o ambiente da sua casa com seu sorriso fagueiro. Dócil, meiga, educada, ela sempre tratava a todos com distinguida polidez. Um dia, porém, sua mente adoeceu, e ela ficou perturbada e confusa. Começou uma *via crucis* de longos tratamentos e dolorosos internamentos em clínicas psiquiátricas. Num desses picos de crise, ela surtou e tirou a vida de seu próprio avô, pensando com isso estar enfrentando um terrível inimigo. Não podemos subestimar o poder avassalador de uma doença mental nem julgar os atos, muitas vezes inconsequentes, daqueles que portam essas doenças.

Opressão e possessão demoníaca

Não podemos atribuir todo o mal que acontece no mundo ao diabo, nem podemos ignorar sua presença nefasta e suas obras malignas na vida das pessoas. O diabo e seus demônios existem. Eles não são figuras lendárias, mas são espíritos que atuam nos filhos da desobediência. Não dormem, não descansam, nem tiram férias. Agem diuturnamente, sem trégua e sem pausa, colocando armadilhas em nosso caminho e traçando estratagemas para nos apanhar.

A opressão é um ataque de fora para dentro, de tal forma que a pessoa se sente encurralada pelos espíritos malignos e se torna um escravo deles. As vítimas da opressão vivem com medo dos demônios e à mercê deles.

A possessão é um estágio mais avançado nessa ação maligna. É quando um espírito mau, ou mesmo uma legião de demônios, entra na vida de uma pessoa e assume o controle da sua personalidade. Então, essa pessoa perde o controle de sua fala, de seus gestos e de seus atos. Como esses espíritos malignos são destruidores, eles induzem essas pessoas a tirar a própria vida.

A Bíblia faz referência a um homem possesso por uma legião de demônios (Marcos 5:1-20). Uma legião romana era formada por seis mil soldados, com arqueiros, estrategistas, incendiários e lutadores. Aquele homem dominado por seis mil demônios vivia nu, sem pudor, sem dignidade. A família e a sociedade o enjeitaram, e ele foi morar no cemitério. Ele tinha uma força descomunal e usava-a para desvencilhar-se das amarras que o prendiam e para ferir-se com pedras. Ele não tinha descanso nem paz, pois vivia entre os sepulcros, gritando de dia e de noite, possuído por uma raiva incessante que o alienava de si mesmo e afugentava os outros. Não fora a libertação de Jesus, aquele pobre homem teria destruído sua própria vida.

O outro caso mencionado na Bíblia é a história de um jovem que estivera possesso desde sua infância, e a casta de demônios que estava nele o havia privado da audição e da fala. Além do mais, tinha produzido nele uma doença convulsiva, e ele espumava e rilhava os dentes. Todavia, a epilepsia desse jovem não era apenas uma doença neurológica crônica, mas uma invasão de demônios, pois estes o jogavam na terra, na água e no fogo para matá-lo (Marcos 9:14-29).

Podemos enumerar alguns sintomas da possessão:

Em primeiro lugar, *um endemoninhado tem dentro de si a presença de outro ser, ou seja, de uma entidade maligna* (Marcos 5:29; Lucas 4:41; 8:30). Uma pessoa possessa não está no controle de si mesma; é governada por outro alguém. Seu corpo torna-se um instrumento para fazer a vontade desse ser maligno.

Em segundo lugar, *um endemoninhado fica possuído de força sobre-humana* (Marcos 5:3,4). Acompanhei o caso de um homem que ficou possesso, cortou os punhos, enfiou uma mangueira com gás de cozinha nas narinas e cobriu-se com um cobertor. Qualquer dos expedientes o levaria à morte numa circunstância normal. Quando sua mulher o descobriu, ele estava à beira da morte. Levado às pressas para o hospital, não conseguia sequer levantar a cabeça. Porém, tomado por espíritos malignos, ficava com uma força descomunal a ponto de quatro homens não conseguirem segurá-lo. Ouvi o seu próprio relato de que, nessa condição, saltou do segundo andar do hospital sem sofrer sequer um arranhão. Esse homem que vivera prisioneiro dos demônios vários anos foi alcançado pelo evangelho e tornou-se um pregador da Palavra. Ouvi seu brilhante testemunho na cidade de Americana, no Estado de São Paulo, e fui testemunha ocular da transformação ocorrida em sua vida.

Acompanhei outro fato semelhante. Uma moça na cidade de Tanabi, interior do Estado de São Paulo, ao ficar possessa por um espírito imundo, levantava a carroceria de um caminhão e desvencilhava-se das mãos de vários homens.

O caso relatado no Evangelho de Marcos mostra que o gadareno quebrava as algemas e despedaçava todos os ferrolhos que o prendiam. A força demoníaca que agia nesse homem foi capaz de precipitar dois mil porcos despenhadeiro abaixo, até que esses animais se afogassem no mar.

Em terceiro lugar, *um endemoninhado sempre é tomado por grandes acessos de raiva* (Mateus 8:28). Uma pessoa possessa carrega um semblante pesado. A doçura foge de sua face e um espectro horrível assalta-lhe a alma. Normalmente, as vítimas da possessão ficam com os olhos esbugalhados, possuídas de atitudes e de gestos violentos e com o semblante carregado de ódio. Muitas pessoas nesse acesso de raiva atentam contra os outros e também contra si mesmas. O gadareno era violento consigo e com os outros, a ponto de as pessoas temerem passar perto de onde ele se encontrava.

Em quarto lugar, *um endemoninhado sempre tenta resistir à Palavra de Deus* (Marcos 1:22,23; Lucas 9:40). Estava visitando a cidade de Santa Fé do Sul e fui participar de um culto evangélico. Naquela noite, o pregador era um homem piedoso e experiente expositor bíblico. Logo que ele começou a falar do poder de Cristo para perdoar e salvar, uma mulher foi tomada por um espírito maligno na minha frente. Ela se levantou aos berros, sacudiu o banco onde estavam sentadas seis pessoas e, tomada por um acesso de ódio, jogou sua bolsa na direção do pregador. Com autoridade espiritual, o pregador deu ordens em nome de Jesus àquele espírito imundo para calar-se e ficar quieto até o final do culto, o que de fato aconteceu.

Em quinto lugar, *um endemoninhado geralmente demonstra conhecimento sobrenatural por clarividência e adivinhação* (Atos 16:16-18; Marcos 5:6,7). Lembro-me de uma mulher extrovertida e alegre que trabalhava na casa de meus pais. Eu era ainda adolescente. Certo dia, essa mulher chegou a nossa casa quase nua, comendo arroz cru com querosene. Fiquei estarrecido com seu aspecto. Estava com os olhos vermelhos, com um semblante carregado e um aspecto amedrontador. Fazia mais de dez anos que o pai dessa mulher estava morando em outra cidade. O espírito imundo que estava dentro dela disse: "O pai dela vai chegar daqui a meia hora, mas não a verá". Estávamos todos à beira da estrada, quando um ancião despontou no caminho. Era seu pai. Ele cumprimentou a todos, e não viu sua filha que estava ao nosso lado. Depois que o idoso despediu-se, o espírito deu uma gargalhada desafiadora e falou: "Eu não disse que ele não a veria?"

Em sexto lugar, *um endemoninhado perde o amor próprio* (Marcos 5:3,5; Lucas 8:27). O gadareno feria-se com pedras. O ser maligno que estava dentro dele o conduzia pelos sepulcros e o matava aos poucos, levando-o à autodestruição. Muitas pessoas que ceifam a própria vida são induzidas por esses espíritos que embotam a mente, cegam os olhos e escravizam a alma.

Altruísmo patriótico

Algumas pessoas ceifam a própria vida por amor à nação. Para poupar outros, entregam a própria vida. Esse tipo de suicídio pode ser chamado também de martírio ou autossacrifício. John White, citando o sociólogo Émile Durkheim, considera suicídio a morte dos soldados defendendo a sua pátria e a de mães sacrificando suas vidas para salvar os filhos. Diz ele: "O termo suicídio se aplica a todos os casos de morte resultante direta ou indiretamente de um ato positivo ou negativo da própria vítima, que ela sabe que vai produzir tal resultado".[76] Há aqueles que ao guardarem um segredo nacional que poderia pôr em risco a vida de milhares, com medo de serem acuados com tortura, ceifam a própria vida para não colocar em risco a vida dos outros. Dietrich Bonhoeffer, nessa mesma linha de pensamento, ao comentar sobre esse assunto, afirma:

> Onde um prisioneiro se mata porque receia trair seu povo, sua família e seus amigos sob a aplicação de torturas, onde um governante, cuja entrega o inimigo exige sob pena de represálias contra seu povo, só pode poupar sua nação de graves danos pela sua morte espontânea, o suicídio se enquadra tão fortemente no motivo de sacrifício que a condenação do gesto se torna impossível.[77]

---

[76] WHITE, John. *As máscaras da melancolia*, p. 123.

[77] BONHOEFFER, Dietrich. *Ética*, p. 97.

Maria Luiza Dias comenta que, no Brasil, muitos presos políticos do período da ditadura militar viram como única saída o suicídio, como forma de se livrar da tortura e/ou de denunciar o que ocorria nos cárceres brasileiros no auge da repressão política. O suicídio funcionava também como um recurso de fidelidade às próprias convicções.[78]

Nesse período da repressão política no Brasil, quando muitas pessoas foram presas, torturadas e mortas, alguns presos políticos tiveram a idéia de lançar mão do suicídio como meio de escapar ao sofrimento infindável. Era também o recurso extremo da fidelidade às suas próprias convicções, diante de um inimigo revestido da autoridade do Estado e que tinha a seu favor o tempo, a crueldade dos modos e dos instrumentos de suplício e a impunidade.[79] No livro *Brasil: nunca mais* encontram-se alguns depoimentos como o da bancária Inês Etiene Romeu, de 29 anos, mantida num cárcere em Petrópolis, em 1971:

> [...] por conversas ouvidas de madrugada, entre Pardal e Laurindo, pressenti que se tramava uma cilada que culminaria com a minha morte. Pardal disse a Laurindo: "Logo que ela desça do carro para andar os 200 metros, eu já estarei com o carro em alta velocidade; ela não terá nem tempo de ver o que lhe ocorrerá". Zé Gomes também comentou comigo: "Você cairá

[78] DIAS, Maria Luiza. *Suicídio: testemunhos de adeus*, p. 29.

[79] *Brasil nunca mais*. Petrópolis, RJ: Editora Vozes, 1985, p. 218, 219.

> dura quando souber o que lhe aguarda". Diante de tudo isso, e para não colaborar com a farsa de uma morte acidental, cortei os pulsos. Perdi muito sangue e, sentindo que já estava perdendo os sentidos, ocorreu-me a certeza de que deveria lutar pela minha vida, porque tinha esperança de poder denunciar tudo o que ocorrera e, ainda, todas as coisas que presenciei no inferno em que estava. Assim, gritei por Pardal, que juntamente com os que se encontravam na casa, providenciou os primeiros socorros [...].[80]

Há registros de cientistas que se mataram para não pôr em risco a vida de outras pessoas com suas descobertas.

Santos Dumont, o pai da aviação, sabendo que os homens estavam usando o avião para jogar bombas sobre cidades e fazendo dessa máquina fantástica de voar um instrumento de morte, enforcou-se com uma gravata em um hotel, na cidade de Guarujá, no Estado de São Paulo.

No dia 11 de setembro de 2001, os passageiros do avião da United Airlines, que caiu na Pensilvânia[81], entraram em combate com os terroristas que haviam tomado e dominado o avião e se dispuseram a morrer para que aquele aparelho não fosse jogado contra a Casa Branca. Por amor aos outros, eles entraram em luta corporal contra os terroristas, impedindo, assim, que aquele vôo da morte atingisse o seu nefando intento.

---

[80] *Brasil nunca mais*, p. 220.

[81] Parte do famoso atentado terrorista contra os Estados Unidos.

Um dos capítulos mais emocionantes da diáspora judia do ano 70 d.C. foi a fuga dos judeus para a fortaleza de Massada, às margens do mar Morto. Mais de três mil judeus escaparam e fugiram para essa fortaleza construída pelo rei Herodes. Do alto daquele monte, esses bravos judeus resistiram aos romanos a pedradas. Depois de vários meses de cerco, ao perceber que os romanos invadiriam a fortaleza por meio de uma rampa, tomaram a decisão de se matar coletivamente, considerando esse ato mais digno que o de entregarem suas famílias para que fossem abusadas, torturadas e mortas pelo inimigo.

Outro exemplo vívido do suicídio patriótico é o caso dos pilotos japoneses chamados camicases. Esses pilotos, por amor ao Japão, faziam vôos para a morte com aviões cheios de bombas, cujos alvos eram os inimigos de sua pátria.

Radicalismo religioso

A religião foi chamada por Karl Marx de "o ópio do povo". A religião pode ser um entorpecente mortífero, envenenando as pessoas de ódio ou confundindo-as com mentiras perigosas.

Jim Jones levou 912 pessoas ao suicídio coletivo em Jamestown, na Guiana, em 1978, induzindo-as a ingerir uma substância venenosa. Centenas de pessoas, enganadas por promessas mentirosas, tomaram veneno como se estivessem entrando numa nave espacial rumo à felicidade eterna.

Outro exemplo recente de suicídio em grupo por ato religioso aconteceu em 1997, com membros da seita *Heaven's Gate* na Califórnia. Trinta e nove pessoas se mataram, acreditando que uma nave espacial, que supostamente vinha logo atrás do cometa Hale-Bopp, as salvaria uma vez que abandonassem seus corpos ou "embalagens".[82]

O radicalismo religioso dos talibãs levou pilotos a sequestrarem aviões no dia 11 de setembro de 2001 para transformá-los em mísseis mortais arremetidos contra as torres gêmeas do World Trade Center, em Nova York, e o Pentágono, em Washington, D. C. Ainda hoje, o mundo fica estarrecido com as facções radicais do islamismo, quando homens-bomba se explodem em mercados, praças, mesquitas e restaurantes, espalhando a morte e o terror. Esses mártires da cegueira espiritual suicidam e matam pensando receber uma recompensa na eternidade, um harém com muitas virgens, produto da teologia islâmica.

Outras motivações íntimas do suicídio

Um número imenso de infortúnios nos esmaga cada dia. Há vários fatores que podem levar uma pessoa a cometer suicídio, como uma traição, uma doença fatal, uma decepção amorosa, uma perda brusca de posição ou *status* social, a perda de um ente querido.

No caso de jovens, por exemplo, o suicídio é a causa número três entre as mortes para americanos entre 15 e 24 anos.[83] George Howe Colt, ao fazer uma análise

---

[82] Stuart, Gary *et all*. *Suicídio e eutanásia*, p. 17.

[83] Solomon, Andrew. *O demônio do meio-dia*, p. 240.

da sociedade americana, diz que uma quantidade de explicações tem sido proposta para esclarecer essa epidemia de suicídio entre os jovens: a dissolução da fibra moral da América, o colapso do núcleo familiar, a pressão da escola, a pressão dos pares, a pressão dos pais, a lassidão dos pais, o abuso infantil, as drogas, o álcool, a baixa taxa de açúcar no sangue, a televisão, a MTV, a música popular (*rock*, *punk* ou *heavy metal*, dependendo da década), a promiscuidade, a menor frequência à igreja, o aumento da violência, o racismo, a ameaça de guerra nuclear, a mídia, o desenraizamento, o aumento de riqueza, o desemprego, o capitalismo, a liberdade excessiva, o tédio, o narcisismo, a desilusão com o governo, a falta de heróis, os filmes sobre suicídio, os muitos debates sobre o suicídio, os poucos debates sobre o suicídio.[84]

Embora os verdadeiros motivos que impelem uma pessoa a tirar sua própria vida estejam fora de nosso alcance e pertençam, muitas vezes, ao mundo interno, tortuoso, contraditório, labiríntico e fora de alcance de nossos olhos, quero enumerar alguns desses motivos:

Chamar atenção para si mesmo. A tentativa de suicídio pode ser um grito de socorro, um apelo veemente: "Olhem para mim, eu estou aqui". Muitos deixam bilhetes com frases como estas: "Vocês vão ficar muito melhor sem mim. As coisas vão melhorar. Tem de ser assim, e eu amo vocês".[85] Uma pessoa suicida é carente de amor. Poucas pessoas que se matam, na verdade, queriam se matar;

[84] COLT, George Howe. *The enigma of suicide*, p. 49.

[85] WHITE, John. *As máscaras da melancolia*, p. 132.

ao contrário, queriam mais atenção, mais cuidado, mais amor. As pessoas estão carentes de atenção e de amor. Precisamos estar com as antenas ligadas para percebermos os sinais daqueles que estão ao nosso redor, solicitando-nos, com fortes rogos, um pouco de atenção e de carinho. Não podemos substituir presentes por presença. Coisas não satisfazem. Riqueza e conforto não satisfazem. Casas e palacetes não satisfazem. Cursos universitários e sucesso profissional não satisfazem. O ser humano é carente de amor, de aceitação e de amizade. Marta era uma jovem bonita e muito inteligente. Estudava numa seleta escola de medicina e tinha pela frente um futuro promissor. Os pais se desdobraram para investir em sua formação acadêmica. Seus pais lhe davam tudo, menos companhia. Marta tinha o dinheiro dos pais, mas não o tempo deles. Ela era uma espécie de troféu que seus pais queriam apresentar ao mundo. Eles tinham orgulho dela, mas não disponibilidade para ela. Um dia, essa brilhante acadêmica de medicina foi visitar os pais, mas estes, distraídos em muitos afazeres, não perceberam que a filha estava carente de atenção. Aquela bela jovem mergulhada em sua profunda carência afetiva entrou em seu quarto e deu cabo a sua vida.

Atitude de vingança. Muitas vezes, um suicida tira sua vida para punir outras pessoas. É uma forma de impor sobre o outro uma dor incurável. Andrew Solomon diz que essa, basicamente, é a catástrofe do suicídio para os que sobrevivem: não apenas a perda de alguém, mas a perda da chance de persuadir essa pessoa a agir de modo diferente, a perda da chance de conectar-se. Não há ninguém com quem se anseie tanto entrar em contato quanto com uma pessoa que cometeu suicídio. A família do suicida sofre absurdamente e vasculha a própria mente para tentar entender que falha no amor deles permitiu um acontecimento tão nefasto; na tentativa de pensar o que deveriam ter feito.[86]

Roosevelt Cassorla narra o que ocorreu em Mileto, na Grécia antiga, segundo a descrição do historiador Plutarco. Moças passaram a enforcar-se e, logo, suicídio de jovens parecia uma epidemia. Nenhuma medida fez que essa epidemia cessasse, até que alguém propôs que as moças fossem condenadas a ter seu cadáver levado nu, em passeata, até o cemitério. Com essa medida, a epidemia se extinguiu. Como explicar isso? É possível que as moças suicidas fantasiassem, como é comum, a reação dos vivos à sua morte - essa fantasia implica mais vida que morte; na verdade, a fantasia da morta é a de que ela pode "ver" a reação dos vivos, pode "perceber" os sentimentos de tristeza, de remorso e de culpa dos sobreviventes, como se ela estivesse viva. Em verdade, essa "visualização" predomina e, às vezes, encobre quase que totalmente a noção de realidade da morte, de finitude. O suicida elimina sua vida para ter o prazer de tornar "real" sua fantasia de vingança, de causar sofrimento aos outros.[87]

Tentativa de expiar um erro. Algumas pessoas com tendências suicidas dizem: "Eu mereço morrer; não sou digno de viver". Para elas, a morte constitui um

---

[86] Solomon, Andrew. *O demônio do meio-dia,* p. 246.

[87] Cassorla, Roosevelt M. S. *O que é suicídio,* p. 31,32.

tipo de expiação para o que consideram seu fracasso e pecado.[88] Um amigo, depois de um longo e exemplar pastorado, aposentou-se com todas as honras da igreja e o reconhecimento de seu brilhante trabalho como pregador e conselheiro. No final da vida, teve um deslize moral, e esse caso veio à tona. Desesperou--se e procurou tomar veneno, porque achava que não era mais digno de viver nem de carregar o título de pastor.

Para Sigmund Freud, o suicídio é uma espécie de ira contra si mesmo. É o impulso de matar, ser morto e morrer. Karl Menninger define o suicídio como uma "agressão voltada para o interior". Certa feita, uma mulher entrou em meu gabinete chorando copiosamente. Estava assustada, porque sua vizinha acabara de saltar do décimo andar de seu prédio, espatifando-se no asfalto. Ela, com olhar triste, disse-me: "Eu preciso fazer o mesmo, mas me falta coragem". Perguntei-lhe a razão de querer se matar. Ela me respondeu: "Pastor, eu sou um problema, eu não mereço viver". "Por que você se considera um problema?", perguntei-lhe. Ela me respondeu: "Meu pai sempre me disse que eu era um problema. E meu primeiro marido e o segundo também me falaram isso. Estou agora casada pela terceira vez, e meu marido atual me diz as mesmas coisas". Compadeci-me daquela mulher e disse-lhe três coisas: "Primeiro, você não é quem você pensa que é. Podemos enfiar em nossa mente uma mentira e acreditar nela como se fosse verdade. Segundo, você não é quem as pessoas dizem

[88] WHITE, John. *As máscaras da melancolia*, p. 131.

que você é. Não precisamos ser um produto daquilo que as pessoas nos dizem. Terceiro, você é quem Deus diz que você é. Somos a menina dos olhos de Deus, e não um trapo sujo que se joga no lixo".

Fuga de uma situação intolerável. Aconselhei Francisco, um homem que estava à beira do abismo, pensando em se matar. Ele era um líder espiritual respeitado, mas havia traído sua esposa e não sabia lidar com o problema. Ele tinha a reputação de um homem irrepreensível. Atormentado pela consciência e com medo das circunstâncias, pensou que a morte seria um caminho menos doloroso que o enfrentamento da situação. Fui recompensado pela alegria de ver Francisco tomar o caminho da confissão, do arrependimento e da restauração. É melhor tratar da ferida do que se matar por causa dela.

Desejo de encontrar paz ou uma vida melhor. A depressão embaça a visão, entorpece a alma, estiola as forças e esvazia-nos da esperança. Muitas pessoas esmagadas pelo rolo compressor das circunstâncias adversas fogem da vida, pensando que, do outro lado da sepultura, encontrarão um destino melhor, o alívio da dor. O presidente Getúlio Vargas ao se matar, disse: "Saio da vida para entrar na História". Em sua fantasia, ele continuaria vivo.[89] Isadora viu seu mundo desmoronar com o divórcio de seus pais. Ela era adolescente e ficou abalada quando viu seu pai sair de casa. A vida financeira da família entrou em colapso. Precisou mudar da casa confortável e adequar-se a um padrão de vida bem mais modesto. O impacto do divórcio dos pais foi tal que Isadora achou que não valia

---

[89] DIAS, Maria Luíza. *Suicídio: testemunhos de adeus,* p. 89.

mais a pena viver. Isadora tentou suicídio várias vezes. Chegou a ponto de seu psiquiatra desistir dela. Essa bela jovem perdeu a alegria de viver e, como um escape, começou a flertar com a morte. Mesmo depois de casada, continuou tentando o suicídio. Foi nesse momento que conheci Isadora e comecei a acompanhá-la. Sua autoestima estava destruída, suas emoções eram confusas. Havia desesperança em seus olhos e uma total falta de perspectiva quanto ao seu futuro. Ela queria sair daquela sepultura existencial e encontrar um mundo onde pudesse respirar em paz. Fui profundamente recompensado ao ver Isadora voltar a sorrir e se encantar novamente com a vida, apesar das circunstâncias com respeito aos seus pais não terem mudado.

O *desejo de reencontrar uma pessoa amada.* É grande o número de pessoas que flertam com a morte e acabam se matando depois que um ente querido entrou pelo corredor sem volta do suicídio. A ânsia de encontrar com a pessoa amada é maior do que o desejo de viver. Uma pesquisa recente revelou uma estreita conexão entre o suicídio e a morte de um genitor. Um estudo sugere que três quartos dos suicídios realizados são cometidos por pessoas que sofrem um trauma na infância, causado pela morte de alguém de quem eram próximos, com frequência o pai ou a mãe. A incapacidade de entender essa perda tão cedo na vida leva a uma incapacidade de processar a perda de modo geral.[90]

Outras pessoas perdem o gosto pela vida depois do suicídio de um membro da família. Entregam-se

---

[90] SOLOMON, Andrew. O *demônio do meio-dia*, p. 239.

ao desânimo e enfiam-se na caverna da depressão. Começam a morrer em doses homeopáticas e sentem a vida indo embora, sem esboçar nenhuma reação. Seu desejo de encontrar a pessoa amada é maior do que o enfrentamento do luto. Romualdo viu seu filho, ainda jovem, dar sinais de que estava flertando com a morte. Algumas vezes, chegou mesmo a flagrar seu filho tentando o suicídio. O acompanhamento psicológico, o carinho da família e o tratamento médico não foram suficientes para convencer o filho de Romualdo a não dar cabo da sua vida. Romualdo sofreu barbaramente a perda do filho. Seu mundo desmoronou. Um terremoto desabou sobre sua cabeça. Esse pai mergulhou sua alma numa tristeza tal que perdeu o encanto pela vida. Não só perdeu o gosto pela vida, como também começou a sentir certa atração pela morte. Um desejo esmagador de estar com seu filho e uma saudade assoladora dominaram sua alma.

A *tentativa desesperada de manipular o outro ou controlar uma situação.* Muitos namoros e casamentos tornam-se verdadeiras jaulas. Pessoas inseguras acabam chantageando seus parceiros, dizendo: "Se você me deixar, eu me mato". Esse jogo é perigoso, pois quem faz chantagem com o suicídio pode acabar em suas garras. Carlos era um jovem pastor que viveu o drama de um noivado turbulento. Sua noiva, por causa das crises de ciúmes, ameaçava constantemente suicidar-se se ele terminasse com ela. Com medo de perder seu ministério, esse jovem pastor manteve essa relação. Todavia, quanto mais o tempo passava, pior a situação ficava. Suas esperanças de uma mudança desfizeram-se por completo. Por várias vezes, Carlos precisou intervir para que sua noiva não atentasse contra a própria vida. Ele vivia sobressaltado. O medo de uma tragédia corroía-lhe a alma. Acompanhei esse jovem pastor que só teve coragem de romper o noivado quando conseguiu assumir todos os riscos para não se casar.

A *excessiva tristeza.* A tristeza parece o salário desta geração embriagada pelo prazer. Ela é como um nevoeiro denso que desce sobre uma pessoa embaçando seus olhos. Muitos vivem hoje na masmorra da tristeza; consideram a vida uma piada sem graça; têm quase tudo, mas não sentem prazer em nada. Essas pessoas são como náufragos sem bóias salva-vidas. São jogadas de um lado para o outro na fúria da tempestade, sem a âncora da esperança. Eleny Vassão faz menção ao artigo "E agora, doutor?", de autoria do dr. Salomão A. Chaib, que narra a dolorosa história de Doralice, uma jovem de dezesseis anos, que, consumida de tristeza, tomou soda cáustica e foi levada às pressas ao hospital com sua boca, esôfago e estômago destruídos. Depois de seis meses de internação, quatro cirurgias, quase milagrosas, e vários expedientes delicados, Doralice teve alta. O êxito do caso animava o médico a apresentá-lo num próximo congresso médico, como coroação final. Dois dias após haver deixado o hospital, porém, o médico recebeu um chamado urgente para ir ao pronto-socorro. Ao chegar viu um corpo já sem vida debaixo de um lençol branco. Era Doralice. Mesmo depois de recobrar a vida, não suportou conviver com a tristeza que ainda lhe assolava a alma. Então tomou uma dose letal de veneno e morreu. O médico, emocionado, abaixou a cabeça, acariciou as mãos geladas de Doralice e pediu-lhe perdão, dizendo: "É inútil reparar o corpo sem lancetar também os abscessos da alma".[91]

A *solidão*. Somos seres gregários; não fomos criados para a solidão. Viver em família e constituir uma família são o nosso alvo. Não somos uma ilha. Gente precisa de gente. O afastamento pode ser interno ou externo. Podemos viver no meio da multidão e, ao mesmo tempo, estarmos mergulhados no abismo sombrio da mais amarga solidão. Milhões de pessoas se escondem atrás das grossas cortinas da solidão. Vivem como prisioneiras no meio da multidão.

Vivemos o melhor dos tempos e o pior dos tempos. Atingimos o apogeu das conquistas científicas. Viajamos pelo espaço sideral. Devassamos as estrelas e enviamos sondas para perscrutar o insondável e vastíssimo universo. O avanço na comunicação é espantoso. Somos a geração da cibernética. Estamos interligados nessa pequena aldeia global. Temos o mundo na ponta de nossos dedos e qualquer cenário do universo diante de nossos olhos em questões de segundos. Somos a geração da internet, do telefone celular, da televisão digital, da interatividade. O que nos espanta é que quanto mais multiplicamos nossos tentáculos para abraçar o mundo, mais solitários nos sentimos. Estamos substituindo as relações humanas por relacionamentos virtuais, mas as máquinas não podem nos abraçar nem enxugar nossas lágrimas. Elas não podem preencher nosso vazio existencial nem suprir nossa carência afetiva. Quanto

[91] Vassão, Eleny. *No leito da enfermidade*. São Paulo, SP: Editora Cultura Cristã, 1997, p. 54,55.

mais ampliamos nossa comunicação virtual, tanto mais solitários nos sentimos.

A solidão pode ser causada por uma autoestima achatada. Ela pode ser produzida por um complexo de inferioridade. Isolamo-nos quando temos medo de conhecer e de ser conhecidos. Temos medo de que alguém invada nossa privacidade. Assim, o isolamento é um escudo que usamos para manter as pessoas distantes e fora de nosso mundo interior. O que é doloroso é que, quando mais precisamos de gente ao nosso lado, mais queremos ficar sozinhos.

A solidão pode ser também imposta a uma pessoa. Não há nada mais perigoso para a alma humana do que penalizar uma pessoa, lançando-a no cárcere do silêncio. O pré-julgamento pode ser uma das mais clamorosas injustiças cometidas contra uma pessoa. Não dar às pessoas amplo direito de defesa pode ser uma conspiração contra sua saúde emocional. Um dos casos mais dramáticos que já acompanhei foi a história de Netinho, um adolescente de quatorze anos de idade. Ele era filho de militar, criado com muito rigor. Certo dia, um de seus professores, ao dar uma prova a sua classe, flagrou Netinho numa tentativa de cola. O professor tomou-lhe a prova, deu-lhe nota zero e chamou os pais, expondo o caso publicamente. Netinho foi envergonhado e humilhado diante dos colegas e dos pais. Ao retornarem para casa, Netinho tentou explicar a situação para seus pais, mas eles, com muita dureza no trato, disseram: "Nós estamos decepcionados e com vergonha de você. Estamos tão aborrecidos com sua atitude que não queremos conversa com você". Os dias se passaram, e Netinho, em vão, tentou conversar com seus pais. Ele foi confinado na masmorra da solidão. Foi sentenciado sem direito de defesa. Depois de uma semana sem poder olhar nos olhos dos pais ou dirigir-lhes uma palavra, Netinho aproveitou a ausência deles para escrever uma carta. Nessa carta ele espremeu todo o pus de sua ferida emocional, dizendo: "Papai e mamãe, perdoem-me, mas eu não consegui superar a dor que esmaga meu peito e atormenta minha alma. Mas a dor que mais me atormenta é a de não poder olhar nos olhos de vocês e dizer que eu não sou culpado da acusação do meu professor. Vocês não me deram sequer a chance de me defender. Essa dor eu não consegui superar. Amo vocês". Netinho pegou a arma do pai e se matou. Quando os pais chegaram, encontraram o filho caído numa poça de sangue, com o revólver em uma das mãos, e a carta na outra.

Doenças incuráveis. A doença atinge a todos, homens e mulheres, pobres e ricos, doutores e analfabetos, religiosos e ateus. Ela nos torna vulneráveis e impotentes. Desafia nosso vigor, drena nossas energias, esvazia nossos sonhos, perturba nossa alma. A doença conspira contra nosso desejo de viver, desafia a ciência e carimba nossa existência de um profundo senso de fraqueza. A doença é a morte nos chamando para um duelo. É a morte nos espreitando e nos mostrando sua carranca. Contudo, algumas doenças são curáveis, e outras, incuráveis. Há doenças que nos atacam e podemos nos livrar de suas garras; outras, porém, nos encurralam e não conseguimos escapar de seu bote mortal. Muitas pessoas em face da morte iminente, sem perspectiva de cura, com medo do sofrimento ou mesmo revoltadas contra o destino implacável, insurgem-se contra o fiapo de vida que lhes resta e se lançam apressadamente nos braços da morte pelo suicídio. Já relatamos nesta obra o caso da mãe do escritor Andrew Solomon que, por não ter perspectiva de cura em seu tratamento do câncer, decidiu aplicar em si mesma o duro golpe da morte.

Os sonhos frustrados. Muitos desmoronam emocionalmente quando veem seus sonhos desfeitos. Investem tudo e perdem a razão de viver quando não alcançam o topo. Muitos se desgostam com a vida depois de uma derrota política. Outros perdem a alegria de viver após um namoro ou noivado rompido. Há aqueles que flertam com a morte quando se veem abandonados pelo cônjuge e pelos filhos, no final de um doloroso divórcio. Há filhos que são seduzidos por pensamentos suicidas, quando enfrentam a separação traumática dos pais. Há muitos que saltam nos braços da morte quando veem as portas fechadas na vida financeira e colhem uma amarga frustração na vida profissional. Ilda é uma jovem bela e encantadora; ela é uma moça alegre e inteligente. Sua simpatia cativa as pessoas, e seu jeito simples de viver desperta alegria até mesmo nos mais carrancudos. Ilda foi golpeada pela separação dos pais. O divórcio doloroso não apenas rompeu o relacionamento de seus pais, mas afastou, também, seu pai de seu caminho. Seu pai saiu não apenas de casa, mas de sua vida. Essa moça cheia de vida começou a entristecer-se. Perdeu o gosto pela vida. Sua alma mergulhou numa profunda depressão. A hostilidade do pai e a falta de diálogo com ele abriram feridas tão grandes em sua alma que ela começou a pensar no suicídio como resposta para o seu drama. O sonho de uma família feliz foi enterrado na sepultura do divórcio dos pais, e, nessa cova, ela sentiu que também foi sepultada viva.

O *determinismo filosófico.* O estoicismo é uma filosofia materialista, panteísta, fatalista, apática ao sofrimento humano e defensora da visão cíclica da História. O apóstolo Paulo, no areópago, em Atenas, confrontou esses paladinos do fatalismo. Eles acreditavam no destino cego, implacável e inexorável. Eles achavam que a vida estava encurralada por forças inflexíveis, e que nada nem ninguém podia mudar o curso dos acontecimentos. Para os estóicos, a única alternativa do homem é curvar-se impotente diante do destino irreversível.

Na filosofia estóica, não há esperança. Não há sonho de mudança. Tudo o que acontece é destino cego. Não há o que fazer. Tudo o que resta ao homem é conformar-se com a situação. Não adianta lutar. Não adianta clamar. Não adianta sofrer. Não há para onde correr nem fugir. Todos estão entrincheirados por um destino implacável. Não há luz no fim do túnel. Não há uma válvula de escape. Não há uma porta de saída. Essa visão da vida mata a esperança, anula os sonhos e põe um ponto final na busca do novo. Essa visão produz o desespero e dá à luz conformismo em meio ao caos.

Hoje existem muitos estóicos existencialistas. Há muita gente que já se capitulou diante dos infortúnios da vida. Gente que já aceitou a decretação da desgraça na vida. Gente que já perdeu o ânimo de lutar. Gente que acha que não há mais jeito para sua vida, para seu casamento e para sua família. Gente que vive gemendo debaixo da canga pesada da opressão, gente que vive esmagada debaixo das botas da infelicidade, gente que assiste impotente ao naufrágio da esperança. Para essas pessoas, o que está determinado inexoravelmente acontecerá. O indivíduo torna-se prisioneiro de seu próprio destino. Ele está fadado a engolir suas próprias desventuras. Ninguém o arrancará do buraco sombrio em que o destino o lançou. A filosofia dos estóicos pode ser sintetizada na música *Gabriela:* "Eu nasci assim, eu cresci assim, vou morrer assim". Ainda pode ser compreendida pelo adágio popular: "Pau que nasce torto morre torto". Essa visão fatalista e determinista da vida rouba a esperança e destrói as bases da mudança. Muitas pessoas suicidam-se porque não namoram mais a esperança, não abraçam mais a fé nem creem na possibilidade de mudança. Não creem que a dor possa ser aliviada, que a doença da alma possa ser curada. O naufrágio da esperança desemboca no desespero existencial, e este empurra a pessoa para o abismo do suicídio.

O jornal *A Folha de S. Paulo*, do dia 22 de agosto de 2006, relata o doloroso episódio de um pai que matou a tiros seus três filhos e, depois, suicidou-se. O microempresário Elk Alves da Silva, depois do segundo divórcio, morava com os três filhos do segundo casamento. O delegado que investigou o caso emitiu sua opinião acerca dessa tragédia: "Acredito que foi a somatória de muitos fatores, como a derrocada econômica, espiritual e sentimental. Ou seja, o desânimo com a vida". O médico Arthur Kaufman, do departamento de psiquiatria da USP, analisando essa situação dramática, disse que se trata do chamado "homicídio piedoso", em que o pai mata os filhos para que a prole não permaneça "em um mundo tão ruim".

Em razão disso, o pai assassina os filhos e depois se mata. Para Kaufman, o pai enxerga o assassinato dos próprios filhos como um ato de amor, e não de ódio, e acredita que seus descendentes não teriam uma vida feliz. "O pai, nesses casos, quer poupar os filhos do dissabor da vida que teriam pela frente", afirmou o médico.[92]

Há alguns anos, aconselhei uma mulher que estava em estado de choque. Mergulhada numa profunda depressão, essa mulher expôs-me sua dolorosa realidade. Amava sua família: marido e dois filhos. Morava num bom apartamento e tinha uma boa condição financeira. Seu marido era um homem carinhoso com ela e com os filhos, mas demonstrava um profundo desânimo com a vida. Enxergava tudo com lentes escuras. Uma dor incurável parecia latejar continuamente em seu peito. Um dia, essa mulher acordou apavorada com o grito dos seus filhos. Ao pular da cama, percebeu que seu marido não estava ao seu lado. Correu em direção ao quarto dos filhos, mas a porta estava trancada. Ela bateu à porta, mas ninguém a abriu. Então, ela arrombou a porta e deparou-se com um quadro horrível: seu marido estava esfaqueando os próprios filhos. Quando ela entrou no quarto, ele enterrou o punhal contra o próprio peito e caiu sem vida sobre os corpos ensanguentados dos próprios filhos. Essa mulher me disse com profunda dor na alma: "Eu levei toda a minha família para o cemitério". A visão pessimista e fatalista da vida levou esse homem a destruir seus filhos e a si mesmo.

---

[92] Jornal A *Folha de S. Paulo,* dia 22 de agosto de 2006, p. C 3.

Ausência de Deus. O homem é um ser obcecado pelo prazer. Há um vazio em seu coração que ele tenta preencher com muitas coisas. O rei Salomão tentou encontrar a felicidade na bebida, na riqueza, no sexo e na fama. Depois de experimentar todos esses prazeres, descobriu que eles não passavam de bolha de sabão. Tinham um brilho ilusório, uma aparência fugaz, mas nenhum conteúdo. Tudo era vaidade. Agostinho de Hipona disse que há um vazio no coração do homem do tamanho de Deus que só Deus pode preencher. No seu livro *Confissões,* Agostinho ora: "Senhor, tu nos criaste para ti e nossa alma não encontrará descanso até voltar-se para ti". O vazio que o homem sente é a ausência de Deus. O que o homem procura no fundo de uma garrafa é o preenchimento desse vazio. O que um jovem busca sofregamente nas drogas é a satisfação desse desejo que lateja em sua alma. O prazer que os boêmios tentam encontrar no sexo desenfreado é uma evidência dessa sede interior. A riqueza que os avarentos buscam com obsessão apenas aponta para a necessidade do preenchimento desse vazio existencial. Na verdade, só Deus pode satisfazer a alma humana. Só Ele pode preencher esse vazio e dar vida abundante. A ausência de Deus tem levado muitas pessoas a desesperarem-se da própria vida. Muitos suicídios são resultado direto dessa sede implacável não satisfeita em tempo oportuno.

O colapso moral da sociedade contemporânea. O apóstolo Paulo em 2Timóteo 3:1-5 faz uma radiografia da sociedade. O mundo está arruinado porque os homens estão invertendo os valores de Deus. Paulo diz que essas pessoas direcionam o seu amor para si mesmas, para o dinheiro e para o prazer: poder, dinheiro e sexo. O que está essencialmente errado com essas pessoas é que seu amor está mal dirigido. Em vez de, em primeiro lugar, serem amigas de Deus, elas são amantes de si mesmas, do dinheiro e do prazer. No universo há Deus, pessoas e coisas. Nós devemos adorar a Deus, amar as pessoas e usar as coisas. Todavia, se começamos adorando a nós mesmos, ignoraremos a Deus, amaremos as coisas e usaremos as pessoas. Este é o triste diagnóstico da sociedade.

As pessoas são egoístas (*filautós*). As pessoas são narcisistas. Elas amam a si mesmas. Elas só se importam consigo mesmas. Com isso, a família está se arrebentando: os casais já não sabem enfrentar crises. Fogem do casamento pela porta dos fundos do divórcio. Nos Estados Unidos, cerca de 50% dos casamentos acabam em divórcio. Nos últimos seis anos, o índice de divórcio no Brasil cresceu 56%, considerando-se apenas os divórcios na terceira idade. As famílias estão em crise.

As pessoas são amantes do dinheiro (*filarguros*). O dinheiro é o deus deste século. As pessoas matam, morrem, casam-se e divorciam-se por dinheiro. A globalização é uma realidade inegável. Das 100 maiores economias do mundo hoje, 51 são empresas. Quanto à riqueza do mundo, 51% dela está nas mãos de empresas. Há empresas mais ricas que algumas nações. A General Motors é mais rica que a Dinamarca. A Ford é mais rica que a África do Sul. A Toyota é mais rica que a Noruega. O Wal-Mart é mais rico que 161 países. Cerca de 50% da riqueza do mundo está nas mãos de apenas 461 pessoas. O mercado globalizado exige cada vez mais tempo do trabalhador, para que ele consuma cada vez mais e, assim, faça a ciranda do consumo girar. Há trinta anos, 70% das famílias dependiam apenas de uma renda para o sustento. Hoje, mais de 70% das famílias precisam de duas rendas para manter o mesmo padrão. O luxo do ontem se tornou necessidade absoluta do hoje. O poder econômico está se concentrando nas mãos de poucos, e a base da pirâmide está ficando cada vez mais larga. Há trinta anos, o comércio da agroindústria cafeeira movimentava o montante de 20 bilhões de dólares, e 9% desse montante ficavam com os países produtores. Hoje o comércio da agroindústria cafeeira movimentam o montante de 80 bilhões de dólares, e apenas 5% ficam com os países produtores. Desses 80 bilhões, 75 bilhões ficam nas mãos de uma meia de dúzia de megaempresas. Consumimos mais, mas nos relacionamos menos. Antes de uma criança entrar na escola, ela já foi exposta a mais de 30 mil anúncios. As coisas estão tomando o lugar das pessoas. Os casais não têm tempo para ficar juntos. Os pais não têm tempo para os filhos. Os crentes não têm mais tempo para Deus. O urgente está tomando o lugar do importante.

As pessoas são amantes dos prazeres, e não amantes de Deus. O lazer, a diversão, o culto ao corpo e o culto ao estômago estão tomando o lugar de Deus. A televisão, o cinema, o futebol, os salões de jogo, os jogos de internet estão ocupando a mente e o tempo das pessoas. Elas são soberbas, jactanciosas, arrogantes e blasfemadoras. Elas vivem o drama de uma grande desestrutura familiar: são desobedientes aos pais, ingratas, irreverentes, desafeiçoadas e implacáveis. Elas são nocivas nos relacionamentos: caluniadoras *(diaboloi)*, sem domínio de si *(akrateis)*, cruéis, inimigas do bem *(afilagatoi)*, traidoras, atrevidas e enfatuadas. Esse colapso moral da sociedade produz desesperança no coração das pessoas e empurra muitos indivíduos para o suicídio.

Há muitas causas que ainda permanecem escondidas no recôndito da alma humana, as quais só Deus, que perscruta os corações, pode diagnosticar.

Capítulo quatro

Os mitos do suicídio

Há fatos e fábulas acerca do suicídio. Há muitos ditos populares que não encontram ressonância com a realidade. Examinaremos os principais mitos acerca do suicídio:

"O cão que late não morde"

É um grande engano pensar que aqueles que ameaçam suicidar-se nunca o farão. As estatísticas provam que 80% das pessoas que se suicidam, um dia, falaram que se matariam. As ameaças de suicídio devem ser levadas a sério, conforme diz José de Souza Gama.[93] O suicídio é resultado de um processo que, às vezes, desenvolve-se por vários anos. Quase sempre a pessoa que se suicida planeja como terminar sua existência e dá indícios de sua intenção. John White, citando a pesquisa de Schneidman, diz que em cada dez pessoas que se matam, oito deram indicações definidas de suas intenções.[94]

---

[93] Gama, José de Souza. *A derrota do suicídio.* 1987, p. 159.

[94] White, John. *As máscaras da melancolia*, p. 136.

Eles deram pistas e sinais claros de que levariam a cabo seu intento. Aqueles que flertam com a morte acabam dando as mãos a ela numa viagem sem retorno. Andrew Solomon diz que tentativas prévias de suicídio são o fator mais forte na previsão de suicídio: cerca de um terço das pessoas que se matam já tentou o suicídio antes; 1% dos que já tentaram virá a suicidar-se dentro de um ano; 10% se matarão dentro de dez anos. Há aproximadamente 16 tentativas de suicídio para cada suicídio concretizado.[95] Contrário ao mito popular, aqueles que falam sobre suicídio são exatamente os com maior probabilidade de se matar. Os que já tentaram tendem a tentar de novo; na verdade, o maior indicativo de um futuro suicídio é uma tentativa prévia, diz Andrew Solomon.[96]

John White cita uma pesquisa feita por Barraclough, em 1974.[97] Ele decidiu examinar o que acontecera na vida de 100 pessoas que se suicidaram recentemente. A lista a seguir apresenta algumas de suas descobertas:

93 visitaram um médico no ano de sua morte;
69 consultaram um médico no mês de sua morte;
48 consultaram um médico na semana de sua morte;
75 consultaram o médico da família no ano de sua morte;
59 consultaram o médico da família no mês de sua morte;

---

95 SOLOMON, Andrew. O *demônio do meio-dia*, p. 231.

96 SOLOMON, Andrew. O *demônio do meio-dia*, p. 234.

97 WHITE, John. *As máscaras da melancolia*, p. 135.

40 consultaram o médico da família na semana da sua morte;
24 consultaram um psiquiatra no ano de sua morte;
18 consultaram um psiquiatra no mês de sua morte;
11 consultaram um psiquiatra na semana de sua morte;
55 falaram recentemente sobre a morte, ou suicídio;
34 ameaçaram suicidar-se no ano anterior;
21 ameaçaram suicidar-se no mês anterior;
13 ameaçaram suicidar-se na semana anterior.

Só os mentalmente enfermos suicidam-se

Apesar de o suicida ser infeliz, ansioso e preocupado, nem toda pessoa que se suicida pode ser diagnosticada como mentalmente enferma. É verdade, também, que um suicida está sob forte pressão e, em certo sentido, enfrenta um grande conflito e desajuste mental. Todavia, uma pessoa pode tirar a sua vida e ao mesmo tempo estar lúcida e consciente. Mesmo aqueles que construíram um passado de glória e têm um presente de sucesso podem ter os olhos completamente embaçados para ver o futuro.

O suicídio é considerado por alguns como um bem em face de um mal irremediável. A mãe do escritor Andrew Solomon programou seu suicídio e chamou toda a família para assistir e participar, quando percebeu que seu tratamento de câncer não lograria mais êxito. Aos 58 anos de idade, num ritual regado de emoção, conversando com a família, ela se despediu do marido e dos filhos e tomou 40 pílulas, uma dose excessiva de remédios, e morreu.[98]

Jamais se poderia afirmar que o presidente Getúlio Vargas ou o industrial Paulo Ferraz eram mentalmente enfermos. Quem poderia dizer que o intelectual Pedro Nava era um homem doente? Quem poderia dizer que Santos Dumont, o inventor do avião, era um homem pertubado? Apenas 22% dos suicidas têm doenças mentais, segundo pesquisa feita na Universidade de Harvard.[99] John White, nessa mesma linha de pensamento, afirma que o conceito de que todos os pacientes suicidas sejam mentalmente doentes não passa de uma fábula. Estudos de centenas de bilhetes de suicidas indicam que o suicida, embora seja extremamente infeliz e esteja sempre perturbado, não é necessariamente um doente mental.[100]

Não adianta ajudar uma pessoa com tendência suicida

Blackburn esclarece em seu livro que, de todas as pessoas que tentam suicídio, apenas 10% delas consumam o ato de suicidar-se. É uma fábula pensar que todos os suicidas querem realmente morrer, ou que, uma vez suicida, sempre suicida. Os sentimentos mudam com as circunstâncias e, com frequência, pensamentos suicidas

---

[98] Solomon, Andrew. *O demônio do meio-dia*, p. 256,257.

[99] Solomon, Andrew. *O demônio do meio-dia*, p. 230.

[100] White, John. *As máscaras da melancolia*, p. 137.

passam com o tempo, à medida que os eventos causadores do desespero alteram-se ou são resolvidos.[101] Vale a pena ajudar uma pessoa com tendência suicida, porque ela pode mudar de ideia.

A maioria dos suicidas não consegue decidir-se entre viver ou morrer. São pessoas que jogam com a morte, deixando aos outros a missão de salvá-las. Quase ninguém comete suicídio sem dizer aos outros como está se sentindo.[102] Gary Stuart esclarece que a maioria dos suicidas não quer a morte, mas interromper o que consideram ser uma dor emocional, ou sofrimento psicológico, insuportável.[103]

Não é verdade que uma pessoa suicida permanece suicida para sempre. As pessoas que querem se matar só são suicidas por um período limitado de tempo. Isso não significa que o risco tenha acabado quando há uma melhora depois de uma crise suicida. Muitos suicídios acontecem cerca de três meses depois que a melhora começou, quando a pessoa tem energia para colocar seus pensamentos e sentimentos em ação.[104]

Não é verdade que pessoas que estão pensando em suicídio não estão dispostas a procurar ajuda. Mais da metade daqueles que cometem suicídio recebeu atendimento médico ou aconselhamento num período de seis meses antes do ato.[105] Gary Stuart alerta: "Um desejo

---

[101] Stuart, Gary *et all. Suicídio e eutanásia,* p. 11,12.

[102] White, John. *As máscaras da melancolia,* p. 136.

[103] Stuart, Gary *et all. Suicídio e eutanásia,* p. 11.

[104] White, John. *As máscaras da melancolia,* p. 137.

[105] Stuart, Gary *et all. Suicídio e eutanásia,* p. 12.

suicida é um pedido de socorro. Se você ouvir esse grito, responda; se o grito for seu, procure ajuda".[106]

Só uma pessoa sem temor a Deus se suicida

É um grande engano pensar que aqueles que creem em Deus não tenham seus momentos de desespero, e tal desespero a ponto de flertar com a própria morte. Homens de fibra como Moisés, Jó, Elias e Jonas desejaram e pediram para morrer. William Cowper, poeta evangélico, tentou suicídio algumas vezes e precisou ser acompanhado por um amigo ao longo de sua vida em suas crises de depressão. Temos registro de vários pastores piedosos que deram cabo de sua vida. A incidência de suicídio não acontece apenas entre os pagãos, mas também entre aqueles que professam a fé cristã.

Como já enfatizamos neste trabalho, o suicídio não é uma realidade apenas entre aqueles que vivem à margem do cristianismo. As causas que levam uma pessoa ao suicídio atingem a todos, indiscriminadamente. Acompanhei vários casos de pessoas que professavam sinceramente crer em Deus e confiar em Jesus como Salvador que desaguaram no suicídio.

Todo suicida comete pecado imperdoável

Essa afirmação é absolutamente temerária, e nenhum homem tem competência para definir o destino eterno de quem quer que seja. Só Deus conhece o coração do

---

[106] STUART, Gary *et all. Suicídio e eutanásia*, p. 48.

homem e só Ele é o juiz. O suicídio, normalmente, é um ato muito privado; do ponto de vista espiritual, o que pode ter acontecido durante aqueles momentos finais de desespero só Deus sabe. É uma grotesca injustiça jogar todos os suicidas na mesma vala comum de Judas Iscariotes. Judas pereceu não porque se suicidou, mas porque não era convertido. Ele foi para o inferno não por dar cabo de sua própria vida, mas porque rejeitou a graça de Deus. Em vez de arrepender-se, encheu-se de remorso. Pela avenida do arrependimento, o faltoso vomita o veneno; mas, no corredor sombrio do remorso, o faltoso engole o veneno. Pelo arrependimento, o faltoso corre da morte para Deus; pelo remorso, ele corre de Deus para a morte. O arrependido salta do abismo para a vida; o que se entrega ao remorso cai num abismo sem fundo, onde perece eternamente.

É verdade que um assassino não tem vida eterna em si mesmo (1João 3:15). É verdade que o suicídio é uma quebra do sexto mandamento, muitas vezes, sem o devido tempo para a reflexão e o arrependimento. É verdade que o suicida fecha a porta da esperança com as próprias mãos ao ser suplantado pela dor esmagadora, a ponto de descrer que em Deus há uma saída para as suas angústias. Todavia, não podemos nos arbitrar como juízes e condenar todos aqueles que entram por essa porta. Só existe um pecado imperdoável, a blasfêmia contra o Espírito Santo, e esse pecado não é o suicídio. Quando Jesus falou sobre blasfêmia contra o Espírito Santo (Mateus 12:31,32; Marcos 3:29,30) não estava tratando de um pecado vago, mas da decisão consciente e deliberada de atribuir a obra de Deus ao poder de Satanás. Os fariseus acusavam Jesus de expulsar demônios pelo poder de Belzebu, o maioral dos demônios. Por inveja, eles atribuíam as obras de Cristo, feitas no poder do Espírito Santo, ao poder do maioral dos demônios. Esse pecado de satanizar Jesus é classificado como blasfêmia contra o Espírito Santo, e esse pecado não tem perdão nem neste mundo nem no vindouro.

Há fatores que não conhecemos nem alcançamos. Até os loucos não errarão o caminho, diz a Bíblia (Isaías 35:8). Há implicações que escapam ao nosso limitado conhecimento. Em última instância, deveríamos nos calar e não nos apressar em nos assentar na cadeira do juiz que julga vivos e mortos. Deus nunca nos deu procuração para nos assentarmos em seu trono e julgar. Só ele pode julgar retamente. Só ele conhece profundamente todas as causas e as implicações. Não podemos subestimar a misericórdia de Deus nem sermos agentes de sua santa justiça. Como já foi dito, William Cowper, o poeta inglês que escreveu notáveis hinos de exaltação a Jesus Cristo, é apenas um cristão, entre muitos outros, que lutou contra a vergonha e o horror de tentar acabar com a própria vida; alguns com sucesso, outros não.[107]

O ato de suicidar-se, conforme Gary Stuart, não condena ninguém ao castigo eterno e à separação de Deus. A salvação e a vida eterna são dádivas que Deus oferece livremente a todos que admitem sua natureza pecaminosa e confiam pessoalmente na morte de Cristo na cruz como forma de pagamento pelos seus pecados (João 3:16; Efésios 2:8,9; Romanos 8:31-39; 2Coríntios

[107] White, John. *As máscaras da melancolia*, p. 121.

5:21). A salvação para qualquer pessoa reside no trabalho consumado por Jesus Cristo na cruz, não na abstenção de atos pecaminosos. O cometer suicídio, em si, não nos condena ao castigo eterno mais do que outro pecado pelo qual não tenhamos pedido perdão até o momento de nossa morte (1Coríntios 3:9-15; 2Coríntios 5:10). Para o cristão, não existe um ato ou pecado individual que possa apagar a salvação, mudar seu destino eterno ou separar o crente de Deus - até mesmo o suicídio (Romanos 8:1,37-39). O apóstolo Paulo diz que nem a morte nem a vida podem nos separar do amor de Deus que está em Cristo. Nós somos pecadores por natureza, e qualquer um dos muitos pecados que cometemos ao longo de nossa vida poderia nos condenar à separação de Deus (Romanos 3:23; 6:23), se não houvesse a cruz sobre a qual os pecados do passado, do presente e do futuro do crente foram pagos por toda a eternidade. Salvação e suicídio são duas questões separadas.[108]

Só uma pessoa fraca e ignorante se suicida

O suicídio ocorre mais entre os jovens cheios de vigor do que entre os idosos surrados pelo peso dos anos; o suicídio acontece mais entre os intelectuais do que entre os que vivem à margem do conhecimento; o suicídio acontece mais entre os ricos do que entre os pobres; o suicídio acontece mais nos países desenvolvidos do que entre aqueles que jazem mergulhados no atraso cultural e econômico. Aqueles que teriam mais razões

[108] Stuart, Gary. *Suicídio e eutanásia*, p. 52,53.

para viver, muitas vezes, são os que mais flertam com a morte. Aqueles que têm mais força em seus músculos, mais luz em sua mente e mais dinheiro em seu bolso são aqueles que mais tentam escapar da vida pelo corredor sombrio do suicídio. Na inglória lista dos suicidas, encontramos uma plêiade de jovens cheios de saúde, homens e mulheres ilustres, políticos de proa, filósofos de renome, escritores prolíficos, cantores de sucesso, artistas renomados, cientistas ilustrados e homens endinheirados. Esses conquistaram todos os troféus da fama, beberam todas as taças dos prazeres e alcançaram o topo da pirâmide social apenas para descobrir que essas glórias humanas eram insuficientes para preencher o vazio da alma. O desencanto com as coisas leva mais pessoas ao suicídio do que a falta delas. O desprazer do ter empurra mais pessoas para o abismo da morte do que a busca do ter. O *ter* sem *ser* é frustrante e tem gosto insosso.

Enganam-se aqueles que pensam que se o homem tiver saúde, dinheiro, sucesso e poder ele será feliz. Equivocam-se aqueles que correm de forma ensandecida atrás de riqueza, pensando que nela está o sentido último da vida. É ledo engano pensar que os ricos são felizes. Os que querem ficar ricos caem em muitas ciladas e afogam a alma em grandes tormentos. Nessa corrida tresloucada, muitos atropelam as pessoas, arrebentam com a família e abafam a própria voz da consciência. É absolutamente verdadeiro que as pessoas mais felizes do mundo chegam em casa cheirando mal, sujas de graxa. As pessoas mais vazias moram em castelos e dormem em camas de marfim. O dinheiro, na verdade, pode comprar muita coisa, mas não compra a felicidade. Pode comprar uma casa, mas não um lar; pode comprar remédios, mas não a saúde; pode comprar ricos turbantes, mas não uma consciência limpa; pode lhe oferecer um rico enterro, mas não uma entrada triunfal na glória; pode comprar mansões na terra, mas não um lugar no céu.

A maior necessidade desta geração acostumada com o *glamour* do sucesso e da riqueza não é de coisas, mas de Deus. O coração do homem tem um vazio do tamanho de Deus. As coisas não podem preencher esse vazio. O conhecimento e a educação não são um fim em si mesmos. No final do século 19, alcançamos o ponto culminante do ufanismo humano. O homem se tornou o centro de todas as coisas. Deus foi empurrado para a lateral da história e confinado apenas nos templos religiosos. O homem cheio de empáfia prometeu construir um paraíso com suas próprias mãos. Augusto Comte, o pai do positivismo, declarou que pela educação alcançaríamos esse mundo perfeito. Entramos pelos portais do século passado (20) cheios de entusiasmo. Contudo, na primeira metade desse século, nosso planeta foi sacudido por duas sangrentas guerras mundiais. A educação não pôde salvar a terra de um banho de sangue. A ideologia política também não trouxe esperança para a humanidade. O comunismo ateu, em nome da igualdade, matou cruelmente milhões de pessoas e mergulhou um terço da terra na mais dolorosa miséria e pobreza. O sentido da vida não está nos prazeres requintados. Vivemos num paraíso cheio de *glamour*, em que as pessoas lotam os cinemas, os teatros, os *shoppings*, as praias, os estádios e saem desses lugares ainda mais vazias de alegria, cheias de tédio. Na verdade, o sentido da vida está em Deus. Enquanto o homem não se voltar para ele, sua alma estará vazia, seu coração insatisfeito e sua vida caminhará para as sombras espessas do desespero.

Capítulo cinco

Os enganos do suicídio

O fato de o suicídio e de a salvação serem questões distintas não deve amenizar os grandes perigos e enganos em relação ao suicídio. Esse ato pode ser uma armadilha, um laço perigoso, um engano fatal. O desespero circunstancial e a confusão emocional podem empurrar um indivíduo para esse corredor, sem que sua mente esteja suficientemente lúcida para decidir o que é melhor para ele e para a sua família. Quero enumerar aqui alguns desses enganos que os suicidas cometem.

O suicídio não é uma porta de saída

O suicídio não é a solução que o homem angustiado busca na hora da dor. Via de regra, ele é um ato de incredulidade. É fechar com as próprias mãos a porta da providência. Não há poço tão profundo que a graça de Deus não possa alcançar. Onde o pecado estaciona, a graça de Deus avança. Quando o homem chega ao fim da linha, Deus pode lhe abrir um caminho espaçoso de livramento. Quando pensamos que não tem mais jeito para nós, com Deus ainda tem jeito. Quando as coisas estão perdidas, com Deus elas ainda não estão perdidas.

O mesmo Deus que chama à existência as coisas que não existem, que faz brotar água da rocha, que abre fontes no deserto, que abre os olhos aos cegos, solta a língua dos mudos, abre o ouvido dos surdos, levanta os prostrados e faz a mulher estéril ser alegre mãe de filhos é também aquele que restaura a alma do aflito e dá sabor à vida daquele que só consegue sentir o gosto da morte.

O suicídio é uma solução enganosa. É uma miragem, uma ilusão, um porto onde não devemos atracar nosso barco. A morte, embora inevitável e inescapável, não deve ser buscada. Ela virá a seu tempo, segundo os desígnios daquele que faz todas as coisas conforme o conselho de sua vontade. Se não podemos impedir que a morte nos ceife, não devemos apressá-la, nem mesmo aplicá-la a nós mesmos. Esse é um direito absoluto e inalienável de Deus, Daquele que é o Autor da vida. Mesmo que nos seja reservado o cálice amargo da dor, e que nos sintamos frágeis demais para cruzar o vale da sombra da morte, devemos rogar ao Pai que seja feita a Sua vontade, e não a nossa, como Jesus o fez (Marcos 14:36).

O SUICÍDIO NÃO ALIVIA A DOR QUE O PROVOCA

O suicida, com frequência, tem uma visão curta, inadequada e equivocada da vida. A vida é mais do que viver; a morte é mais do que morrer. A morte não é o fim. A morte não é o ponto final da existência. Há uma eternidade. Há um juízo (Hebreus 9:27). Há uma prestação de contas (Lucas 16:1).

O livro de Apocalipse fala daqueles que buscam a morte, mas não a encontram (Apocalipse 9:6), bem como daqueles que procuram a morte para fugirem de Deus (Apocalipse 6:16). É intrigante observar que alguns, em vez de fugir da morte para Deus, fogem de Deus para a morte. Eles temem mais um encontro com Deus do que com a própria morte. Eles preferem pular no abismo da morte a se voltar para Deus em busca de socorro. Isso foi o que aconteceu com Judas Iscariotes que, em vez de buscar socorro em Cristo, fugiu dele para o abismo da morte. Aqui está claramente a diferença entre arrependimento e remorso. Pedro negou a Jesus, mas voltou-se para ele e foi perdoado. Judas traiu Jesus e sentiu o peso de seu pecado, mas não se voltou para Jesus em arrependimento. Por isso, desesperou-se e entrou no corredor sombrio do suicídio. O grande problema é que o suicídio não elimina a dor que o provoca; ao contrário, pode jogar para sempre aquele que o comete num tormento sem alívio.

O apóstolo Paulo diz que, se nossa esperança se limita apenas a esta vida, somos os mais infelizes de todos os homens (1Coríntios 15:19). O hedonismo é uma filosofia de vida atraente, mas equivocada. Preceitua que o sentido maior da vida é o prazer, e que devemos buscar esse prazer a todo custo, em todos os momentos e lugares, pois a vida se limita apenas ao percurso do berço à sepultura. Na cosmovisão hedonista não existe vida depois da morte nem esperança quanto ao futuro. O lema do hedonismo é: *Comamos e bebamos, porque amanhã morreremos* (1Coríntios 15:32). O hedonismo conduz o homem a beber todas as taças dos prazeres e a não negar a si mesmo qualquer satisfação. A vida só tem sentido enquanto esses desejos forem satisfeitos. Dessa forma, o hedonismo esvazia o coração do homem de toda esperança. Se a vida parece um fardo pesado, uma jornada difícil, uma luta inglória, o melhor que fazemos é eliminá-la.

Muitos, influenciados por essa antiga filosofia, cometem suicídio por imaginar que a morte é o fim da existência. Nada mais enganoso. Somos seres transcendentes. Somos mais do que matéria. Somos mais do que corpo. Temos uma alma imortal. A sepultura não é o fim da linha. Há uma eternidade vastíssima e insondável à nossa frente. Mesmo que nossa caminhada aqui seja pontilhada de sofrimento, há esperança de uma vida melhor. O apóstolo Paulo disse que *a nossa leve e momentânea tribulação produz para nós o eterno peso de glória* acima de toda a comparação (2Coríntios 4:17), visto que o sofrimento do tempo presente não pode ser comparado com as glórias por vir a ser reveladas em nós (Romanos 8:18). O melhor de nossa vida está pela frente. A recompensa não é recebida aqui. Agora há choro e dor, mas depois nossas lágrimas serão enxugadas. Agora nosso corpo é surrado pela doença e pela fraqueza, mas depois teremos um corpo de glória. Agora, vivemos sob o espectro do sofrimento atroz, mas depois entraremos na bem-aventurança eterna onde não haverá mais choro, nem pranto, nem dor.

O SUICIDA NÃO É DONO DA SUA VIDA

A vida é um presente de Deus, e nossa vida não nos pertence (1Coríntios 6:19,20). Mesmo que a morte possa parecer muito atraente, ela não deve ser buscada.

Mesmo que ela nos pareça a única porta de saída para as avassaladoras tormentas da alma, não devemos passar por ela. Não somos donos da vida, somos mordomos dela. A vida nos é cedida para que cuidemos dela e a usemos para servir aos outros, e não a nós mesmos. O suicídio não torna a vida melhor para os outros, mas produz um sofrimento contínuo e outras consequências que afetam a família e os amigos por muitos anos, e até gerações.[109]

O suicídio é uma apropriação indébita da morte. Só Deus é o autor da vida e apenas ele tem o direito de tirá-la. Não somos de nós mesmos. A vida não é nossa, mas de Deus. Devemos cuidar de nosso corpo como bons mordomos, em vez de destruir essa obra-prima de Deus.

O suicida não é uma ilha

Nós somos seres gregários. Ninguém vive para si nem morre para si. Não somos de nós mesmos; pertencemos uns aos outros. Dependemos dos outros para vir ao mundo, para viver no mundo e também para sair dele com dignidade. Nossos atos afetam não apenas a nós, mas as pessoas que estão a nossa volta. O que um suicida faz não diz respeito só a ele. Ele não tem o direito de ceifar sua vida pelo simples fato de estar enfadado dela. Todo indivíduo pertence a Deus e também a sua família. Por isso, o suicídio é um ato de egoísmo doentio e de uma maldade indescritível. O suicida, ao buscar poupar-se do sofrimento, provoca uma dor muitas vezes incurável na

---

[109] Stuart, Gary *et all. Suicídio e eutanásia*, p. 48.

família. O amor que uma pessoa suicida professa ter pela família é negado ou empalidecido por seu ato egoísta. Ao matar-se, ele fere mais a família do que se buscasse nela um abrigo para seu problema temporal.

Quanto mais a população do mundo cresce, mais as pessoas buscam a solidão e criam mecanismos para se isolar. Há famílias cujos membros se isolam dentro de casa. Há outras que se comunicam pelo telefone celular debaixo do mesmo teto. Há famílias em que cada pessoa tem seu quarto e, ali, abre janelas para o mundo através de relacionamentos virtuais, escondendo-se atrás das grossas cortinas da solidão. Essa solidão endêmica tem assolado a geração contemporânea e levado as pessoas a adoecer emocionalmente. A televisão, a internet e o telefone celular não podem nos dar um abraço nem enxugar nossas lágrimas. Gente precisa de gente. Não somos uma ilha. Precisamos criar pontes de comunicação uns com os outros. Nossa vida é o elo de uma corrente. Estamos ligados inalienavelmente uns aos outros. Se quebrarmos um dos elos, a corrente toda se rompe.

Temos necessidades básicas, como comer, beber e vestir. Temos necessidade de segurança e de autorrealização. Também temos necessidades vitais de relacionamento. Ninguém vive de forma saudável sem ser amado. O amor é o esteio da alma, sem o que ninguém fica em pé. Sem aceitação, ficamos aleijados existencialmente. Não somos autossuficientes. Precisamos uns dos outros. Estamos ligados uns aos outros. Não fomos criados para a solidão nem para o isolamento. Nossa alma clama por comunhão. Quanto mais saudável é nosso *eu*, mais queremos nos aproximar das pessoas e viver com elas e para elas.

O suicida destrói a si mesmo para atingir os outros

Muitos suicidas punem a si mesmos com a pena capital para ferir a outros. O suicídio, assim, ganha contorno de uma vingança, em que se aplica no outro um golpe que não pode ser revidado. O suicida elimina-se para abrir no outro uma ferida sem cura.

Muitos cônjuges, ao serem abandonados, matam-se para ferir aquele que o abandonou. Muitos filhos se matam para vingar-se dos pais. Muitos pais se matam para vingar-se dos filhos. Via de regra, essa vingança é sempre aplicada a pessoas chegadas e íntimas. Ninguém morre por um estranho. O grande drama do suicida é que ele acaba ferindo a pessoa que ele mais ama.

Marquinhos tinha seis anos. Era filho de mãe solteira. Sua mãe vivia para ele, e ele, nesse amor, encontrava toda a sua segurança. Esse esteio, entretanto, começou a ficar frouxo, quando sua mãe começou a ter um relacionamento com um professor da escola de Marquinhos. Para sair à noite, escondida do filho, Maria dava a ele uma dose maior de xarope, e o menino adormecia. Quando acordava, Marquinhos não via sua mãe e ficava desesperado. Os dias se passaram, e Marquinhos ficou ainda mais inseguro. Até que ele descobriu o relacionamento de sua mãe com o professor de sua escola. Seu mundo desabou, e ele entrou em depressão. Numa noite especial, sua mãe tinha um encontro marcado com o namorado. O filho pediu à mãe para não sair, mas ela recusou-se a atendê-lo. O menino, com o semblante abatido, prometeu: "Mamãe, se você sair, você vai se arrepender". Sem ouvir o que Marquinhos estava dizendo, ela saiu naquela noite para jantar com o namorado. Quando chegou em casa, encontrou Marquinhos morto. Ele tomou uma dose excessiva de remédio e morreu, sem tempo de ser socorrido. Na verdade, ele puniu a mãe, aplicando em si mesmo um golpe fatal.

O SUICIDA NÃO TEM A GARANTIA DE UMA VIDA MELHOR

Como mencionamos, a facção radical do islamismo crê que uma pessoa, quando ela amarra bombas no corpo e se explode, ganha o céu e um harém com dezenas de virgens. Isso é um engano fatal. O suicídio não é uma viagem para o paraíso. Ele não é um caminho cheio de luz, nem um passaporte para a bem-aventurança eterna. O suicídio não é um bem, ao contrário, é um mal que deve ser combatido. O suicídio não tem base legítima nem sustentação moral. Atenta contra o projeto de Deus e conspira contra os interesses da sociedade.

Não ouso afirmar que todo suicida está condenado pela justiça divina. Uma pessoa convertida e salva pode chegar a uma situação tal de desespero que pode até mesmo atentar contra a própria vida. Há vários exemplos de homens e mulheres piedosos que, num dado momento de forte pressão, acabaram ceifando a própria vida. Não é correto afirmar que o suicídio seja um pecado sem perdão, ou que todo suicida está irrevogavelmente condenado. Uma pessoa salva pela graça de Deus jamais pode perecer eternamente. Nem mesmo a morte pode separar uma pessoa do amor de Deus.

Devemos repudiar a atitude daqueles que sentenciam os suicidas ao fogo do inferno, lançando-os todos na mesma vala comum de Judas Iscariotes. De igual forma, devemos repudiar toda apologia a favor do suicídio. Nenhum motivo é suficientemente razoável para justificar a decisão de eliminar a si mesmo. O suicídio é um ato inconsequente, impróprio e injusto consigo e com os outros. O suicídio é uma decisão que normalmente desconsidera a providência divina e atenta contra o plano sábio de Deus.

Quem brinca com fogo um dia acaba se queimando

A chantagem com o suicídio é um grande perigo. Muitos tentam o suicídio sem a intenção de morrer. Falam que vão se matar apenas para chamar a atenção dos outros. No entanto, esse é um jogo perigoso que pode enredar o indivíduo, levando-o a cumprir o que nunca teve intenção de fazer.

A tentativa de suicídio é um grito de socorro que, muitas vezes, não é ouvido nem compreendido. Quem busca essa arma perigosa para chamar a atenção um dia acaba se ferindo mortalmente sem que haja tempo para pedir socorro, ou mesmo para arrepender-se. Antônio, depois de algumas tentativas frustradas de suicídio, bebeu veneno de rato e teve suas entranhas devastadas. Socorros médicos imediatos devolveram a ele a esperança de retomar sua vida. Antônio reafirmou seu profundo desejo de viver e confessou estar sinceramente arrependido de sua precipitação. Agarrou-se com todas as suas forças ao fiapo de esperança que, como uma luz tênue, iluminava o sombrio corredor de sua alma. Contudo, depois de uma melhora progressiva, Antônio sofreu um mal súbito e veio a morrer sem que os médicos pudessem salvar sua vida. Era tarde demais para voltar atrás e arrepender-se de seu erro. Ele havia cavado uma cova para si mesmo e sepultado nela suas próprias esperanças.

CAPÍTULO SEIS

A IMPROCEDÊNCIA DO SUICÍDIO

O suicídio é improcedente. Os argumentos a seu favor não são fortes o suficiente para darmos a ele nosso aval. Há quatro argumentos que revelam a improcedência do suicídio.

O ARGUMENTO FILOSÓFICO

A despeito da tentativa fútil dos estóicos de justificar o suicídio, faltam-lhe fundamentos filosóficos sadios. O suicídio é um ato de liberdade que destrói todos os atos futuros de liberdade. É uma afirmação do ser que extermina o ser. É um ato do vivente que destrói sua vida. É irracional, porque é a "razão" que, ao afirmar-se, destrói a si mesma.

O patriarca Jó entendeu bem essa questão. Sua mulher, ao ver o drama do marido, depois de perder os bens, os filhos e a saúde, aconselhou-o a amaldiçoar a Deus e morrer. Mas Jó respondeu: *Como fala qualquer doida, assim falas tu; receberemos de Deus o bem, e não receberemos o mal? Em tudo isso não pecou Jó com os seus lábios* (Jó 2:10). A vida é um mosaico onde coisas boas e ruins acontecem conosco. Sem a profundidade dos vales, jamais poderíamos apreciar a beleza dos montes. Sem a escuridão da noite, jamais poderíamos apreciar a beleza do céu estrelado. Sem a dor das lágrimas, jamais poderíamos compreender a grandeza do consolo. Há tempo de chorar e tempo de rir. Tempo de abraçar e tempo de abster-se de abraçar. Há tempo de viver e tempo de morrer (Eclesiastes 3:1-8). A vida não é uma sala *VIP* nem uma colônia de férias, mas um campo de batalha. Não devemos desistir da vida apenas porque estamos atravessando desertos áridos. O sofrimento é a escola da vida, onde aprendemos as maiores lições. O deserto das provas não é um acidente, mas um apontamento. Ele faz parte do currículo de Deus para nós. O sofrimento está na agenda de Deus, não para nos destruir, mas para nos fortalecer. Os grandes líderes foram forjados no deserto. O fogo das provas só queima as escórias, mas depura o ouro.

O suicídio, via de regra, é resultado de olharmos apenas para a imensidão de nossa dor, em vez de olharmos ao nosso redor para tantos outros que estão sofrendo mais do que nós e gostariam muito de estar no nosso lugar. Muitas vezes, desprezamos aquilo que outros gostariam de ter. Lamentamos a vida que levamos, quando outros gostariam de estar na nossa pele. Reclamamos da casa em que moramos, quando tantos estão morando debaixo de uma ponte. Reclamamos do pão que recebemos, quando muitos lutam desesperadamente para ter o resto que lançamos fora. Reclamamos da família que temos, quando tantos outros não têm sequer um ente querido para lhes dar um abraço ou aquecê-los com o calor de um beijo. Reclamamos do curso universitário que fazemos, quando muitos jamais galgaram os degraus de uma universidade. Reclamamos da profissão que temos, quando muitos estão desempregados. Reclamamos do país em que moramos, quando alguns vivem expatriados sem poder ouvir as canções de sua terra. O profeta Elias, enfiado numa caverna, pediu a Deus para morrer, porque estava olhando para a vida com lentes escuras. Um pessimismo doentio invadiu-lhe a alma, e ele perdeu a perspectiva do futuro. Por estar imerso no caudal de sua dor, fez um pedido apressado e tolo para Deus. Ele pediu a morte, quando o propósito de Deus era levá-lo para o céu sem que ele passasse pela democrática experiência da morte. Quando Elias tirou os olhos de si e colocou-os em Deus e nos desafios que ele lhe propunha, ergueu-se de seu desalento e deu continuidade ao seu grandioso ministério.

Precisamos olhar para a vida com os olhos de Deus. O apóstolo Paulo, mesmo preso numa masmorra romana, sombria e insalubre, na antessala do martírio, não perdeu a alegria nem capitulou diante do desespero. Ele não se considerava prisioneiro de César, mas de Cristo. Ele entendia que o acaso não fazia parte de sua vida. Sabia que todas as coisas cooperam para o bem daqueles que amam a Deus (Romanos 8:28). Ele estava pronto a glorificar a Deus tanto na vida quanto na morte. Sua alegria não vinha de fatores circunstanciais, mas procedia do próprio trono de Deus. Mesmo quando enfrentava adversidades em sua vida, ele as via apenas como caminhos da providência para testemunhar aos outros o grande amor de Deus.

O ARGUMENTO ÉTICO

Quão paradoxal é que alguém conclua que a melhor coisa que pode fazer por si mesmo é destruir a própria vida. Como a melhor coisa para si mesmo pode ser o ato final contra a própria vida? Ninguém pode agir em seu próprio interesse quando seu plano é destruir a si mesmo. Suicídio é ódio por si mesmo, e isso é antinatural; é irracional; é imoral.

Conforme disse Agostinho, o suicídio é um fracasso da coragem. É o escapismo existencial. É a fuga sem retorno. É a covardia mais acentuada. É o ato mais covarde. O suicídio é imoral, porque é assassinato. É assassinato de si mesmo. É assassinato de um ser humano criado à imagem e semelhança de Deus. É falta de amor. É desumanidade. É egoísmo consumado.

O suicídio é a quebra dos dois principais mandamentos da lei moral que Deus deu ao homem. A síntese da lei moral é amar a Deus e ao próximo como a si mesmo (Mateus 22:24-40). O suicídio é a violação dessa lei áurea. Não podemos demonstrar amor a Deus violando sua própria lei. Não podemos honrar o criador destruindo sua própria criação. Não podemos afirmar sua bondade, descrendo de sua providência. O suicídio é um ato de consumada incredulidade. É afirmar que nem mesmo Deus pode abrir-nos um caminho na escuridão de nossa noite existencial. É afirmar que os impossíveis dos homens são também impossíveis para Deus.

O quinto mandamento da lei de Deus diz: *Honra teu pai e a tua mãe, para que se prolonguem os teus dias na terra que o Senhor teu Deus te dá* (Êxodo 20:12). Um suicida não honra pai e mãe quando, egoisticamente, tenta aliviar sua dor abrindo uma ferida quase incurável na alma dos pais. A forma de honrar pai e mãe é buscando neles conselho, ajuda e orientação, e não impondo sobre eles um peso de culpa, de dor, da vergonha que terão de levar por toda a vida. Quem pensa na dor que provocará aos pais, aos familiares e aos amigos jamais pode ser estimulado a buscar a alternativa do suicídio. O suicídio também é a quebra do sexto mandamento da lei moral de Deus: *Não matarás* (Êxodo 20:13). Ceifar a própria vida é um assassinato, o assassinato de si mesmo. O suicídio é uma usurpação de um direito soberano, inalienável e intransferível de Deus. Só Deus pode dar e tirar a vida. Um suicídio conspira, portanto, contra os interesses primários da ética cristã que visa a exaltar o Criador e o amor ao próximo.

O ARGUMENTO BÍBLICO

A Bíblia menciona cinco casos de suicídio. Todos os suicidas estavam vivendo na contramão da vontade de Deus. O suicídio é uma fuga em que o indivíduo distancia-se de Deus, em vez de procurar chegar mais perto do Senhor.

Em primeiro lugar, *Sansão.* Esse jovem foi um herói nacional. Nasceu por um milagre de Deus para uma missão especial, ser libertador de seu povo. Ele era um gigante e tinha uma força descomunal. Ninguém conseguia vencê-lo num confronto pessoal. Certa feita, ele matou mil filisteus num combate apenas com uma queixada de jumento. Todavia, Sansão tinha uma fraqueza. Ele não dominava os próprios impulsos. O sexo era sua área vulnerável. Costumava envolver-se em relacionamentos perigosos. E foi num desses relacionamentos que ele caiu. Sansão quebrou todos os seus votos de consagração a Deus. Vencido pela insistência de Dalila, ele abriu seu coração para ela, e os filisteus cortaram seu cabelo, onde residia a sua força. Esse gigante tornou-se fraco e sem forças. Seus olhos foram vazados, sua honra foi aviltada, e ele, para vingar-se dos filisteus, derrubou o templo de Dagon, perecendo com seus inimigos (Juízes 16:4-29).

Em segundo lugar, *Saul.* Esse rei começou bem, mas foi, paulatinamente, afastando-se de Deus e enveredando-se por atalhos perigosos. Ele desobedeceu às ordens de Deus sem jamais demonstrar arrependimento. Exortado várias vezes pelo profeta Samuel, endureceu ainda mais sua cerviz. Saul chegou a ponto de tornar-se possesso por espírito maligno. A sede de poder corrompeu sua alma, e ele tornou-se um déspota sanguinário. No auge de seu desespero, em vez de arrepender-se e voltar-se para Deus, buscou uma feiticeira, uma médium. Longe de encontrar ajuda, recebeu sua própria sentença de morte. Encurralado pelo exército filisteu, sem capacidade de resistência, jogou-se contra sua própria espada, e seu escudeiro também fez o mesmo (1Samuel 31:4-6). Saul ceifou sua vida porque deixou de buscar a Deus. Ele fugiu de Deus para a morte, em vez de fugir da morte para Deus.

Em terceiro lugar, *Aitofel.* Traiu Davi, numa péssima opção política. Seguiu a conspiração de Absalão e viu sua causa fracassada. Seu caráter traidor o levou ao desespero. Enforcou-se (2Samuel 17:23).

Em quarto lugar, *Zinri.* Após o golpe de Estado que o levou ao poder, foi abandonado pelo povo que preferiu apoiar Onri. Sitiado, desprestigiado, incendiou o palácio e suicidou-se (1Reis 16:18).

Em quinto lugar, *Judas Iscariotes*. Apesar de apóstolo de Jesus, era ladrão. Traiu Jesus por trinta moedas de prata. Vendeu seu Mestre. Em vez de arrepender-se e vomitar o veneno, engoliu o veneno e enforcou-se (Mateus 27:3-5).

A Bíblia não aprova o suicídio. Jó, Moisés, Elias e Jonas pediram a Deus para morrer, mas nunca intentaram contra sua vida. Paulo disse ao carcereiro de Filipos que estava prestes a se suicidar: *Não te faças nenhum mal* (Atos 16:28). A vida é um dom de Deus. Jesus veio para dar vida e vida em abundância, enquanto o diabo veio para roubar, matar e destruir (João 10:10). Só Deus dá a vida e apenas ele tem autoridade para tirar. O suicídio é uma usurpação dessa prerrogativa divina.

O ARGUMENTO TEOLÓGICO

O suicídio está em desacordo com a vontade de Deus por três razões fundamentais:

Em primeiro lugar, *é um gesto de incredulidade*. O suicida deixa de crer que Deus pode nos socorrer em toda e qualquer situação. Como já mencionamos neste livro, a mulher de Jó, ao vê-lo nas cinzas, revoltada contra Deus, aconselhou seu marido que se matasse: "Blasfema de Deus, e morre". Mas ele respondeu: *Como fala qualquer uma doida, assim falas tu* (Jó 2:9,10). Não há poço tão profundo que a graça de Deus não possa alcançar. Não há pecado tão grande que Deus não perdoe. Não há túnel tão sombrio que a luz não o ilumine. Com Deus, quando tudo parece perdido, ainda há uma saída. Não há impossível para Deus. Ele pode todas as coisas. O salmista descreve isso de forma poética: *O Senhor solta os encarcerados; o Senhor abre os olhos aos cegos; o Senhor levanta os abatidos; o Senhor ama os justos. O Senhor preserva os peregrinos; ampara o órfão e a viúva* (Salmos 146:7-9).

Em segundo lugar, *é um gesto que atenta contra o propósito de Deus.* A razão suprema da existência do homem é glorificar a Deus, estar em comunhão com ele e fazer a sua vontade. O suicídio é a negação disso. O suicídio é a negação dos dois fundamentos da salvação: arrependimento e fé. O suicídio é um gesto de ingratidão para com o Criador. Jogar fora a dádiva que Deus nos deu é a mesma coisa que dizer a ele que a vida que recebemos é indesejável e imprestável. Mesmo quando passamos por situações adversas, Deus nunca deixa de cumprir os seus propósitos em nossa vida. Jó, já restaurado de sua desventura, afirmou: *Bem sei eu que tudo podes, e que nenhum dos teus propósitos pode ser impedido* (Jó 42:2). Os irmãos de José, por inveja, venderam-no como escravo para o Egito. Vinte e dois anos se passaram, e eles, num tempo de fome, tiveram de ir ao Egito comprar alimento. Nesse tempo, Deus já havia transformado a desventura de José em triunfo, tirando-o da prisão para o palácio. O jovem escravo tornou-se governador do maior império do mundo. José se deu a conhecer aos seus irmãos, dizendo-lhes: *Vós, na verdade, intentastes o mal contra mim; Deus, porém, o intentou para o bem, para fazer o que se vê neste dia, isto é, conservar muita gente com vida* (Gênesis 50:20). O apóstolo Paulo resume esse grandioso e sábio propósito de Deus nestes termos: *E sabemos que todas as coisas concorrem para o bem daqueles que amam a Deus, daqueles que são chamados segundo o seu propósito* (Romanos 8:28).

Em terceiro lugar, *é um gesto enganador.* O suicídio é um embuste, é um engano, porque leva a pessoa a só enxergar o agora. O suicídio é uma visão equivocada acerca da vida, da morte e da eternidade. A pessoa perde a perspectiva de indestrutibilidade da vida e da perenidade da existência. A morte não é o ponto final do drama da vida. O suicídio não põe um fim à dor que o provoca nem faz cessar a angústia que o seduz. A morte não pode acabar com os conflitos da alma. Ao contrário, ela pode levar a pessoa a um poço sem fundo, a um naufrágio sem resgate, a uma condenação sem livramento (Lucas 12:19,20; 16:19-31).

Depois da morte, numa dimensão eterna, o homem continua existindo conscientemente, seja no céu, seja no inferno. Winston Churchill, o grande líder que conduziu a Inglaterra pelos mares turbulentos da Segunda Guerra Mundial, afirmou que a decadência moral da Inglaterra devia-se ao fato de a pregação sobre o céu e o inferno ter desaparecido dos púlpitos ingleses. O existencialismo ateu, ao ensinar que o homem é apenas matéria e que não tem uma alma imortal, acaba levando esse homem a um nível de vida semelhante aos animais irracionais. Somos mais do que matéria. Não somos um corpo que tem uma alma, mas uma alma que tem um corpo. FOMOS criados à imagem e semelhança de Deus. Temos em nós as digitais do Criador. Somos a obra-prima de Deus, a poesia do Criador. Temos um valor infinito. Somos a menina dos olhos de Deus!

Capítulo sete

A prevenção contra o suicídio

José de Souza Gama afirma corretamente que alguns casos de suicídio podem ser previsíveis, outros são praticamente imprevisíveis.[110] Bill Blackburn, acompanhado pelos melhores autores e movimentos internacionais, opina que a maioria dos suicídios é previsível e pode ser evitada, se houver um grande número de pessoas envolvidas em ajudar outras pessoas potencialmente suicidas.[111]

Busque ajuda

O tratamento de um suicida em potencial deve ter três elementos básicos: medicamento, terapia e fé. Consideremos esses três elementos:

Em primeiro lugar, *a necessidade de medicamento.* A depressão é uma doença e, como tal, deve ser tratada adequadamente. Não há nada mais perigoso do que

---

[110] Gama, José de Souza. *A derrota do suicídio*, p. 156.

[111] Blackburn, Bill. *What you should know about suicide.* Waco, Texas: Word Books, 1982, p. 153.

subestimar esse problema ou atribuir a depressão a causas exclusivamente espirituais, quando o paciente deve procurar um psiquiatra para um diagnóstico claro e um tratamento eficiente. O livro *A religião do cérebro*, do cientista brasileiro Raul Marino Jr., informa que as doenças do cérebro podem alterar o comportamento. Muitas pessoas que são tratadas como pervertidas ou endemoninhadas são pessoas que devem merecer a maior consideração, sendo encaminhadas para um tratamento psiquiátrico adequado.

Outras pessoas vivem na caverna de uma angústia profunda – assoladas por sentimentos perturbadores, com as emoções confusas, sem disposição para viver e desejosas de morrer – e precisam ser urgentemente encaminhadas para um tratamento médico e psiquiátrico. Há muitos tabus em relação ao tratamento das doenças emocionais. Há pacientes que têm preconceito e, quando admitem que estão consultando um psiquiatra, enfrentam esse preconceito. Há aqueles que pensam que só os loucos precisam da ajuda de um psiquiatra. A ignorância é uma péssima parceira no tratamento de pessoas deprimidas.

Em segundo lugar, *a necessidade de terapia*. Gente precisa de Deus e gente precisa de gente. A solidão é absolutamente desaconselhável às pessoas deprimidas. A terapia é a segunda perna desse tripé do tratamento eficaz. A terapia deve ser feita com um conselheiro competente, seja ele psicólogo, seja ele orientador espiritual. A terapia é indispensável para aqueles que buscam sair da caverna da depressão. Ela precisa se estender enquanto durar esse arrocho emocional.

Em terceiro lugar, *a necessidade da fé*. O homem é um ser espiritual, criado à imagem e semelhança de Deus. Ele não encontra sentido para a vida a não ser em Deus. A eternidade foi colocada em seu coração, e nada do que é temporal e terreno pode satisfazê-lo. Muitas pessoas são curadas emocionalmente quando são convertidas à fé cristã e alforriadas das peias emocionais que as castigam com desmesurado rigor. Enquanto a religião separada das Escrituras tem sido uma fábrica de pessoas desequilibradas, a observância dos princípios de Deus, estabelecidos em Sua Palavra, são remédios para alma, tônicos para o coração, fonte de vida plena, maiúscula e abundante. A leitura diária da Bíblia e uma vida regular de oração são elementos fundamentais para a saúde emocional. O cultivo da espiritualidade conforme ensina a Palavra de Deus é, certamente, um dos fatores mais decisivos para a sanidade mental. A diferença entre santidade e sanidade é apenas uma letra, a letra "T", símbolo da cruz. Por meio da cruz de Cristo, ou seja, de seu sacrifício substitutivo, temos santidade e sanidade.

Desabafo

O desabafo traz cura. Guardar no cofre da alma os traumas, as dores, as feridas, os complexos e os abusos é algo que pode nos asfixiar. Deus tratou a depressão de Elias mandando-o sair da caverna. Tratou a tristeza excessiva de Jonas confrontando-o e dando-lhe espaço para desabafar. Muitas pessoas, quando pensam em se suicidar, sentem-se solitárias e desesperadas. Uma conversa por telefone pode significar a diferença entre a vida e a morte, pelo menos por algum tempo. Um amigo que pode oferecer companheirismo, um ouvido pronto a ouvir e sugestões de um profissional pode significar o retorno de alguém da morte para a vida.[112]

Estava pregando em um congresso evangelístico numa das mais encantadoras cidades de nosso país. No final de minha palestra, uma mulher de aproximadamente 60 anos permaneceu no auditório, pois queria falar comigo. Seu semblante estava abatido. Ela me contou sua dolorosa história. Disse-me: "Eu guardo um segredo há cinquenta anos. Vivo atormentada durante todo esse tempo. Estou perturbada. Minha vida está esvaindo-se como numa hemorragia". Ela, então, começou a me falar que desde os 12 anos começou a ser molestada sexualmente pelo seu pai. Nutriu ódio por ele até sua morte. Essas feridas na alma nunca foram curadas e, por causa desse trauma, havia acabado com o seu casamento e estava agora tentando acabar com o casamento da própria filha. A figura masculina estava completamente distorcida em sua mente. Via os homens como monstros que deviam ser evitados. Essa mulher abriu as câmaras de horror de sua alma, espremeu todo o pus de sua ferida e chorou copiosamente. Esse desabafo foi uma terapia restauradora para a sua vida. Vivia prisioneira em seus próprios sentimentos. Estava num cárcere sombrio até o dia que abriu o coração e desabafou. Hoje essa mulher está livre. Sua alma encontrou liberdade.

---

[112] WHITE, John. *As máscaras da melancolia*, p. 149.

CORRIJA O FOCO

A vida é bela, é dom de Deus. Muitas das pessoas que se suicidam não o fazem no auge do desespero, mas depois dele. Poucas pessoas se mataram nos campos de concentração nazista. Depois que os campos foram abertos, muitos daqueles que haviam enfrentado as maiores agruras nas mãos do adversário atentaram contra a própria vida.

Victor Frankl, em seu livro *Em busca de sentido*, revela que foi esse apego à vida como dom de Deus e como oportunidade de servir ao próximo que o sustentou nos campos de concentração nazista. Elias ficou deprimido e queria morrer, porque num dado momento pensou que sua vida estava nas mãos de Jezabel, e não nas mãos de Deus. Ele pensou que estava sozinho e não percebeu que havia mais de sete mil que estavam do seu lado.

A ética cristã é fundamentada no amor. O maior de todos os mandamentos é amar a Deus e ao próximo. O amor não é egocêntrico, mas "outrocêntrico". O amor não está centrado no eu, mas no outro. O sentido da vida não é a busca da satisfação própria, mas a realização da vontade do outro. O suicídio está na contramão desse princípio ético. O suicídio não é apenas um ato solitário, mas, também, egoísta. Mais do que egoísta, o suicídio é um ato de grande crueldade contra si mesmo, contra a família e a sociedade.

BUSQUE A DEUS

A maior de todas as terapias contra a depressão e a tendência para o suicídio é o íntimo relacionamento com Deus. Ele dá paz no vale. Ele oferece alegria em meio à dor. Ele oferece esperança contra a desesperança. Na presença de Deus, há, perpetuamente, delícias e alegrias indizíveis, como também de glória. O salmista encontrou alento para a sua alma quando conversou consigo mesmo: *Por que estás abatida, ó minha alma, e por que te perturbas dentro de mim? Espera em Deus, pois ainda o louvarei, a ele que é o meu socorro, e o meu Deus* (Salmos 42:11).

Paulo, mesmo diante do martírio, estava exultando de alegria. Sua fé estava firmada em Cristo, sua esperança estava ancorada em Deus. Para ele, a vida era Cristo, e a morte era lucro. Esse homem caminhou por caminhos juncados de espinhos sem perder a doçura. Foi perseguido em Damasco, rejeitado em Jerusalém, esquecido em Tarso, apedrejado em Listra, açoitado em Filipos, escorraçado de Tessalônica e Bereia, chamado de impostor em Corinto e de tagarela em Atenas. Ele enfrentou feras em Éfeso, foi preso em Jerusalém, acusado em Cesareia, picado por uma víbora em Malta, sentenciado à morte em Roma. Longe de desesperar-se, disse: *Combati o bom combate, acabei a carreira, guardei a fé. Desde agora, a coroa da justiça me está guardada, a qual o Senhor, justo juiz, me dará naquele dia; e não somente a mim, mas também a todos os que amarem a sua vinda* (2Timóteo 4:7,8). Esse gigante de Deus, mesmo injustiçado e abandonado pelos homens, fecha as cortinas de sua vida não com amargura, mas exultando em Deus (2Timóteo 4:9-21).

Há cura para os que pensam em suicídio. Em vez de fugir de Deus para a morte, fuja da morte para Deus. Destaco aqui alguns aspectos importantes:

Em primeiro lugar, *há esperança para os desesperançados*. Você é o grande vencedor no campeonato da vida. Você subiu ao pódio mais alto na corrida da vida. Você ganhou a mais fantástica concorrência da história. Milhões de espermatozóides saíram numa corrida frenética para fecundar o óvulo no ventre da sua mãe. Nessa corrida extraordinária, apenas um chegou. Se fosse outro espermatozóide, você seria outra pessoa. Você não estaria lendo esse livro. Agora, levante sua cabeça. Há esperança para você. Não importa quão machucado você esteja, quão prisioneira seja sua alma ou quão grossas sejam as correntes que o prendem, há uma saída. Jesus é o libertador. Se ele libertar você, verdadeiramente você será livre. Quando você estiver ao pé da cruz, o seu sofrimento será aliviado. Quando você deixar tudo no altar, você verá que Deus tem poder para socorrer sua alma. O salmista conversou com sua alma aflita, dizendo-lhe: *Volta, minha alma, ao teu repouso, pois o Senhor te fez bem* (Salmos 116:7).

Em segundo lugar, *há saída para os prisioneiros*. A pior prisão é a prisão da alma. Muitos vivem cativos, embora sejam livres. Muitos vivem no calabouço da solidão, outros são prisioneiros dos vícios. Há aqueles que vivem na masmorra da mágoa e são flagelados no pelourinho da culpa. Todavia, para esses há uma saída. Jesus disse: *E conhecereis a verdade, e a verdade vos libertará* (João 8:32). Há esperança para você que tem pensado em suicídio. Há uma saída para você que já tentou o suicídio. Abandone o pensamento de que você tem de consumar aquilo que um dia você concebeu. Você não foi criado para ser um fracasso. Você não veio ao mundo para ser um perdedor. Você é muito especial. Deus criou você à imagem e semelhança Dele. Você é a obra-prima de Deus, o poema de Deus, a menina dos olhos de Deus, a delícia de Deus, em quem ele tem todo o seu prazer. Deus ama você com amor eterno. Não importa sua condição, o buraco em que você caiu, ou quão longe você esteja dele agora, seu amor por você jamais cessou. Ele espera por você. Ele está pronto a abraçar você e festejar a sua volta. Volte a encantar-se com a vida. O melhor da sua vida ainda está pela frente. Depois do deserto, você entrará numa terra onde jorra leite e mel. Depois da noite tenebrosa, o sol voltará a brilhar. Um tempo de refrigério e bonança raiará em sua vida. Tome posse da vida maiúscula e abundante que Jesus lhe oferece gratuitamente. Sua vida vale mais do que o mundo inteiro.

"A lista de Schindler" foi um filme dramático que trouxe à luz os horrores do holocausto.[113] Os judeus foram trucidados com requintes de crueldade pela fúria dos nazistas. Seis milhões de judeus pereceram nas câmaras de gás, nos paredões de fuzilamento, nos campos de concentração. No meio dessa barbárie, um alemão nazista foi invadido por um sentimento de misericórdia e resolveu usar sua fortuna pessoal para comprar centenas de judeus, impedindo, assim, a condenação sumária deles. Transferiu-os para uma fábrica fictícia na Tchecoslováquia com o propósito de livrá-los da morte iminente. Quando a guerra terminou, o benfeitor alemão reuniu os judeus no pátio de sua empresa para

[113] Filme de Steven Spielberg. Ele é o diretor e o produtor mais aclamado pela popularidade de seus filmes desde a década de 1970. Consagrou-se ao receber sete estatuetas do Oscar de 1994, por "Lista de Schindler" – Nova Enciclopédia Barsa, vol 13, p. 368.

comunicar-lhes que estavam livres. De repente, olhou para o seu carro de luxo estacionado no pátio e começou a chorar, dizendo: com esse carro eu teria comprado mais vinte vidas que pereceram nas câmaras de gás. Olhou também para o *button* de ouro na lapela de seu paletó e disse, com a voz embargada pelo choro: com este *button* eu teria comprado mais duas vidas. Por fim, arrematou com uma célebre frase: "Quem salva uma vida salva o mundo inteiro". Sim, você vale mais do que o mundo inteiro. Se apenas você existisse neste planeta, Jesus Cristo daria a vida por você. Ele amou você e morreu por você para lhe dar a vida eterna. Você é infinitamente precioso para Deus.

Em terceiro lugar, *há perdão para os que caíram*. Muitos desistem da vida porque fracassaram na vida moral. Esses buscam o suicídio numa tentativa equivocada de reparar seu erro. Marta era uma mulher de quase 80 anos. Um pecado da mocidade atormentava sua mente e perturbava sua alma. Guardava esse segredo no cofre de sua memória e, todos os dias, flagelava a si mesma com essas lembranças amargas. Estava profundamente deprimida. Seus filhos, sem saber a verdadeira causa de sua tristeza, buscaram solução em toda sorte de tratamento médico. Tudo em vão. Aquela mulher estava definhando. Até que fui chamado a sua casa. Ela abriu seu coração, contou-me aquele segredo guardado havia mais de sessenta anos. Falei para ela do perdão de Deus, da cura das memórias, da libertação que temos em Cristo Jesus. Essa mulher foi perdoada, curada, liberta e salva.

Em quarto lugar, *há alegria para os tristes*. A vida não precisa ser um vale de lágrimas. Deus converte choro em riso, deserto em jardim e noite sombria em ensolarado alvorecer. Há paz no vale. Há doçura até mesmo nas trincheiras mais amargas da vida. Há consolo em meio às lágrimas mais copiosas. Não precisamos ser um produto das circunstâncias. John Milton ficou completamente cego aos 44 anos e ainda escreveu o grande clássico O *paraíso perdido*. Ludwig Van Beethoven ficou totalmente surdo aos 46 anos de idade e ainda compôs cinco sinfonias. Luiz Braille ficou cego na infância e fez de sua cegueira uma esteira de luz para todos os cegos da humanidade, inventando o sistema *Braille*, possibilitando aos cegos acesso à leitura. Fanny Crosby ficou completamente cega na sexta semana de vida. Jamais permitiu que a cegueira inundasse sua alma de tristeza. Tornou-se uma mulher alegre e feliz, uma das maiores compositoras cristãs de todos os tempos. Escreveu milhares de hinos conhecidos e cantados no mundo inteiro, como:

A Deus demos glória, por seu grande amor,
O Filho bendito por nós todos deu,
E graça concede ao mais vil pecador,
Abrindo-lhe a porta de entrada no céu

Exultai! Exultai! Vinde todos louvar
A Jesus, Salvador, a Jesus, Redentor!
A Deus demos glória, porquanto do céu
Seu Filho bendito por nós todos deu!

Fanny Crosby, mesmo cega, tinha uma inabalável confiança na soberania de Deus e no governo absoluto de Jesus Cristo. Ela expressou isso nesse célebre hino:

> Sempre vencendo, muito vitorioso,
> Cristo Jesus, o Senhor!
> É soberano, chefe bendito,
> Em tudo ele é vencedor!
> Ei-lo supremo, guiando,
> Com seu imenso poder!
> Todos avante, pois crentes,
> Todos lutar e vencer.
> Não é dos fortes a vitória,
> Nem dos que correm melhor.
> Mas dos fiéis e sinceros
> Que seguem junto ao Senhor!

Essa embaixadora da música cristã trouxe luz para milhões de pessoas. Viveu mais de 90 anos e irradiou a alegria de Deus por intermédio de suas canções. Uma de suas músicas mais conhecidas diz assim:

> Que segurança tenho em Jesus,
> Pois nele gozo paz, vida e luz!
> Com Cristo herdeiro, Deus me aceitou
> Mediante o Filho que me salvou!
>
> Conto esta história, cantando assim:
> Cristo, na cruz, foi morto por mim!
> Conto esta história, cantando assim:
> Cristo, na cruz, foi morto por mim!

Em quinto lugar, *há recomeço para os fracassados.* A história está repleta de exemplos daqueles que fracassaram e recomeçaram. Deus nos dá a chance de recomeçar. O filho pródigo, depois de desperdiçar todos os seus bens numa vida dissoluta, voltou para os braços do pai e foi perdoado e restaurado (Lucas 15:20-24). O mesmo que fora motivo de choro, agora, é razão de grande festa. Não importa quão longe você tenha ido, quão profundamente você tenha caído e quão arruinado você esteja, há a chance de um recomeço. Como já mencionamos, Og Mandino, um dos mais ilustrados escritores da atualidade, aos 35 anos de idade estava falido, bêbado e caído numa sarjeta. Abandonado pela esposa e pela filha, pensava em suicídio. Dez anos depois, estava no topo da fama mundial, escrevendo livros lidos e traduzidos no mundo inteiro, ensinando as pessoas a viver com otimismo.[114] Ele recomeçou. Você também pode recomeçar.

Em sexto lugar, *há vida abundante depois do deserto.* Se você está pisando o solo causticante do deserto, tendo apenas miragens delirantes, saiba que Deus pode converter esse deserto seco em pomares engrinaldados de flores e de fartos frutos. Você pode voltar a sorrir e a cantar. Esperava num estúdio de televisão em Vitória para uma entrevista. Ao meu lado estava um distinto cavalheiro, bem trajado, de fala delicada e mansa, também aguardando a hora de sua entrevista. Travei um gostoso bate-papo com esse cidadão. Fiquei surpreso ao saber que estava diante de um ex-assaltante, o temido

---

[114] MANDINO, Og. *A melhor maneira de viver.* Rio de Janeiro, RJ: Editora Record, p. 36-38.

Paulinho Bang-Bang. Esse homem que vivera na marginalidade, e que espalhara tanto medo e terror, agora, convertido ao evangelho, era uma nova criatura, um novo homem, manso, humilde, sereno, resplandecendo, em seu rosto, um novo brilho, e em suas palavras a doçura de uma vida abundante.

Em sétimo lugar, *há vida eterna para os que jazem na região da morte*. Deus tem para você não apenas vida, mas vida abundante e eterna. Você não foi criado para ser um fracasso. Você não veio ao mundo para ser um aborto ambulante. Você não entrou na história para ser um verme a arrastar-se no lodo. Erga seus olhos. Olhe para Deus, e você viverá. Ele tem vida eterna para lhe dar. Tome posse dessa vida eterna. A essência dessa vida é ter comunhão com o Deus eterno. Em Deus, a vida faz sentido. Com Deus, a vida tem sabor. Volte-se para Deus, seu Criador, e você comerá o melhor desta terra. Coloque a sua confiança em Jesus, e você receberá pela fé o dom da vida eterna.

Busque ajuda nos centros de apoio

A ajuda às pessoas que lutam contra a dolorosa questão do suicídio precisa estar disponível todos os dias e a qualquer hora. As pessoas que se sentem prisioneiras da solidão, esmagadas pela cruel depressão e encurraladas por uma dor maior do que a própria força de lutar pela vida, precisam ter a sua disposição mecanismos de socorro. Na maioria das vezes, o suicida não quer morrer, mas apenas livrar-se da dor que assola a alma. A maior parte daqueles indivíduos que ceifam a própria vida o fazem por não enxergar uma luz no fim do túnel. Por isso, é preciso criar comunidades terapêuticas e atendimentos por telefone aos pacientes que podem salvar suas vidas numa questão de segundos. Esse modelo de atendimento que visa à prevenção do suicídio é representado no Brasil pelo CVV (Centro de Valorização da Vida). A cidade de Los Angeles foi pioneira nessa iniciativa. Valdemar Augusto Angerami descreve os conceitos e princípios que regem esse atendimento:[115]

1) Focalização na emergência imediata e em resoluções positivas com o objetivo primário de salvar vidas.
2) Funcionamento adequado como centro de prevenção do suicídio, que, para isso, deve estar disponível e acessível à comunidade.
3) Envolvimentos, sempre que possível, com pessoas significativas como parentes, amigos, médicos, vizinhos, patrões, colegas de trabalho etc.
4) Manter contato com outras entidades com a finalidade de transferir o paciente para uma ajuda terapêutica mais específica em situações de crise.
5) Considerar como apenas um fio da imensa rede de auxílio à comunidade e, portanto, estabelecer ligações com outras entidades para imediata transferência do paciente e trocas de informações.

---

[115] ANGERAMI, Valdemar Augusto. *Suicídio: fragmentos de psicoterapia existencial*, p. 15.

Para pôr-se em prática tais conceitos, há certos elementos estruturais básicos, como:

1) O telefone deve ser um dos instrumentos terapêuticos primários, pois, de qualquer parte da comunidade, apresenta disponibilidade imediata.
2) Um serviço 24 horas, diariamente, nos sete dias da semana, ou seja, disponibilidade a qualquer hora do dia e da noite.
3) Extenso uso de voluntários não profissionalizados, cuidadosamente selecionados, treinados e supervisionados e disponíveis a consultas.

Uma alternativa eficaz de prevenção contra o suicídio é a criação de grupos de apoio, de aconselhamento e de terapia nas igrejas, nas instituições filantrópicas e, até mesmo, nos lares, onde pessoas treinadas possam ouvir, orientar e aconselhar os pacientes, oferecendo-lhes uma nova perspectiva da vida. Assim como os alcoólicos anônimos prestam um grande serviço à sociedade, encorajando-se mutuamente à abstinência, pessoas aflitas que superaram suas angústias existenciais poderiam, também, ajudar aqueles que estão na grande encruzilhada existencial entre a vida e a morte.

Termino essas sugestões indicando dois *sites* importantíssimos que abordam esse tema com franqueza, oferecendo grande ajuda para a sociedade. O primeiro *site* é o da Organização Mundial de Saúde (www.paho.org/bra). O segundo *site* é o da Associação Internacional para a Prevenção do Suicídio, em inglês (www.iasp.info).

Capítulo oito

A ajuda para a família do suicida

O luto é um dos dramas mais amargos da vida. Era 2 de agosto de 1982. Estava iniciando meu ministério na Primeira Igreja Presbiteriana de Bragança Paulista. Meu coração estava repleto de lindos sonhos, e minha alma, desafiada a consagrar-me inteiramente à causa do evangelho, a fim de que outras pessoas pudessem conhecer o amor de Deus. Voltava de uma visita a um homem enlutado, onde compartilhei com ele as doces consolações de Deus na hora da dor. Era noite, e preparava-me para dormir. De repente, o telefone tocou. Uma voz triste e entrecortada de dor me informava que meu irmão Hermes, que fizera no dia anterior 27 anos, acabara de ser assassinado com onze golpes de faca. Meu corpo tremeu da cabeça aos pés, e eu perdi a voz. Senti uma dor na alma tão forte que quase desmaiei. Eu já passei pelo vale do luto várias vezes. Sinto saudade de meus pais e de três irmãos que já se foram. Sinto saudade de familiares e de amigos queridos, que um dia acalentaram minha alma.

O suicídio não é uma dor menor que a do assassinato. A família enlutada de um indivíduo que se mata ainda acrescenta culpa à dor.[116] Essa dor do luto passa por algumas fases. Rubem Olinto[117] e Marcos Kopeska Paraízo[118] nos ajudam a entender essas fases.

A NECESSIDADE DE ENTENDER AS FASES DO LUTO

Em primeiro lugar, *o choque.* Expressões como "Digam-me que não é verdade" e "Ainda não posso acreditar que isso realmente aconteceu" retratam o pânico que se instala no coração do enlutado. As reações de choque e a negação são observadas nas seguintes atitudes: uma viúva continua preparando o mesmo número de pratos na mesa; um marido volta do trabalho esperando ouvir a voz da mulher no interior da casa; os pais guardam os pertences do filho que morreu, numa tentativa de preservar a sua memória.

Marcos Kopeska Paraízo, comentando sobre essa fase do choque, explica que o choque é o hiato de algumas horas que parecem durar uma eternidade, em que o corpo e a mente ficam anestesiados com a notícia da perda. É o aperto na garganta. É o soco na boca do estômago. Logo a seguir vem o choro incontido, o pranto catártico, o aturdido grito de dor.[119] A dor do luto precisa ser expressa. Não podemos sublimar nem negar essa dor. Extravasar essa dor livra o enlutado de ser inundado pelas

---

[116] OLINTO, Rubem. *Luto – uma dor perdida no tempo*, p. 53.

[117] OLINTO, Rubem. *Luto – uma dor perdida no tempo*, p. 96-106.

[118] PARAÍZO, Marcos Kopeska. *Quando passamos pelo vale do luto.* São Paulo, SP: Editora Cedro, 2005, p. 33-49.

[119] PARAÍZO, Marcos Kopeska. *Quando passamos pelo vale do luto*, p. 34.

torrentes copiosas que descem como avalanche sobre a alma aflita.

A geleira do vulcão nevado de Ruiz, a 5.400 metros de altitude, é a mais importante na Colômbia, também considerada grande atração turística. Uma repentina avalanche causada pelo aquecimento, a erupção do vulcão e o descongelamento de seus picos sepultaram mais de 20 mil pessoas em 1985. Quando os funcionários do Ministério *Eirene* prestavam atendimento às vítimas das perdas na cidade de Armero, Tolima, observaram que uma senhora permanecia sentada, absolutamente calada, absorta em seu lúgubre sofrimento, com os olhos pregados no chão. Estava assim havia dois dias, e os paramédicos colombianos queriam interná-la, dando-a por insana. Marcos Maldonado, médico e pastor, sentou-se ao seu lado e ali permaneceu calado por uma hora. Ao final desse tempo, exprimiu, em tom abafado e com poucas palavras: "Está doendo muito!" No mesmo instante, ela rompeu com o silêncio e desabou em lágrimas. Entre soluços, narrou, em detalhes, a história de sua vida. Quando, na adolescência, perdera os pais nas Ilhas Canárias, decidiu ir para a Colômbia num navio, instalou-se na cidade de Armero e casou-se, levando uma vida de extrema humildade. Enquanto estava em uma festa de aniversário naquela tarde de domingo, o marido e o filho ficaram em casa descansando, sem ao menos se aperceberem da fatídica tragédia que estava para acontecer. Quando a avalanche veio, levou a casa, o marido e o filho. Pela segunda vez, estava perdendo tudo.[120]

[120] PARAÍZO, Marcos Kopeska. *Quando passamos pelo vale do luto*, p. 35-37.

Em segundo lugar, *a negação*. É a tentativa de reverter o irreversível, de dizer a si mesmo e ao mundo que nada aconteceu. É a etapa em que você volta ao local da perda, fala sobre ela e narra repetidamente os acontecimentos com detalhes. Certa mãe, ao perder o filho, conservou as roupas, o aparelho de som, os CDs, o *skate* e a decoração intocáveis. Ninguém ousava mexer naqueles objetos. O quarto era o fio de ligação ainda existente entre mãe e filho. O luto estagnou-se no estágio da negação. É a tentativa de retardar ou afastar o confronto com a brusca realidade.[121]

Em terceiro lugar, *a ira*. Quando há causadores nas tragédias, passados os primeiros estágios, inicia-se a busca pelos culpados, as maquinações, as acusações, os processos judiciais. É o estágio de constantes crises de raiva e de indignação.[122] Uma mãe, cujo filho acabara de suicidar-se, soluçava e gemia, dizendo: "Ele não tinha o direito de fazer isso comigo. Eu não o perdoo por ter sido tão covarde. Por que ele não conversou comigo? Por que ele não abriu o coração? Por que ele me deixou nesse estado de tormento?" A depressão é a raiva voltada para dentro do próprio eu interior, quando a pessoa enlutada ainda chicoteia a própria alma com o azorrague da culpa.

Muitas pessoas nesse estágio do luto se insurgem contra Deus. A mulher de Jó, depois de perder os filhos e ver seu marido arruinado financeira e fisicamente, ficou revoltada contra Deus e deu conselhos ao marido para se matar (Jó 2:9). Marta de Betânia, ao ver Lázaro, seu

[121] PARAÍZO, Marcos Kopeska. *Quando passamos pelo vale do luto*, p. 37,38.

[122] PARAÍZO, Marcos Kopeska. *Quando passamos pelo vale do luto*, p. 39.

irmão, morrer sem a intervenção de Jesus, desabafou num tom de censura: *Senhor, se tu estiveras aqui, meu irmão não teria morrido* (João 11:21). É a busca de um culpado. Alguém foi negligente. Um médico amigo, ao perder o filho de 19 anos por leucemia, exclamou no enterro, num tom de profunda amargura e inconformismo: "Não é justo morrer tão jovem! Se Deus existe, por que não impediu a morte do meu filho?"

Em quarto lugar, *a solidão*. Na solidão do enlutado há uma mistura do sentimento de vazio interior com a ilusão de viver e conviver com a pessoa que já não existe mais. Essa solidão se faz presente com mais intensidade durante a noite, nos fins de semana, nas férias, no Natal, na Páscoa, nos aniversários ou em alguma data importante para o enlutado. C. S. Lewis, descrevendo seu próprio sofrimento, observou em seu livro como os estágios do luto se sobrepõem e se mesclam um ao outro:

> Nesta noite, todos os infernos do luto recente se abriram de novo, as palavras loucas, o ressentimento amargo, o alvoroço no estômago, a impressão de pesadelo, o esponjar-se em lágrimas. Pois no luto nada é estável. Estamos sempre saindo de uma fase, mas ela torna a repetir-se. Girando e girando. Tudo acontece de novo. Estarei andando em círculos, ou ousarei esperar que me encontre numa espiral? Todavia, se estou numa espiral, será que estou subindo ou descendo?[123]

[123] LEWIS, C. S. *A grief observed*. New York, NY: Bantam Books, 1961, p. 66,67.

Em quinto lugar, *a aceitação.* A dor do luto não cede facilmente, mas também não é incurável. A vida seria insuportável e impossível se não houvesse uma obra de Deus em nós para a compreensão e a aceitação. O sol volta a brilhar na alma do enlutado. O deserto volta a florescer. O bálsamo de Deus terapeutiza a mente e o coração, e a vida pode ser recomeçada. Quando meu irmão Hermes foi assassinado, minha mãe sofreu tanto que pensei que ela fosse enlouquecer. Contudo, os meses se passaram, e seu coração foi sendo confortado pelo refrigério de Deus. Minha mãe, mesmo marcada indelevelmente pelo luto do filho amado, voltou a sorrir e a cantar.

Em sexto lugar, *o consolo.* O consolo é uma terapia divina. Deus é o único que pode sarar nossas feridas. O *Senhor [...] sara os quebrantados de coração, e cura-lhes as feridas* (Salmos 147:2,3). Ele é o Deus de toda a consolação. O apóstolo Paulo escreveu algo maravilhoso sobre a consolação de Deus: *Bendito seja o Deus e Pai de nosso Senhor Jesus Cristo, o Pai das misericórdias e Deus de toda consolação, que nos consola em toda a nossa tribulação, para que também possamos consolar os que estiverem em alguma tribulação, pela consolação com que nós mesmos somos contemplados por Deus* (2Coríntios 1:3,4).

Em sétimo lugar, *a reorientação da vida.* Marcos Kopeska diz que esse último estágio é o retomar da vida, das atividades, dos ideais e dos projetos que ficaram paralisados com a morte do ser querido. Fica uma lacuna? Sim. Contudo, é o vazio que não impede a continuidade. A vida precisa entrar em ordem novamente. Seus propósitos precisam ser retomados.[124] Em 6 de junho de 1988, o velejador Lars Grael, enquanto participava de uma regata em Vitória, teve sua perna direita brutalmente amputada por um barco que invadiu o espaço sinalizado. O acidente poderia ser o ponto final da sua carreira, mas não foi. Grael redimensionou sua vida. Em 2001, assumiu o cargo de Secretário Nacional de Esportes no Ministério de Esportes e Turismo, pôs em prática o Projeto Navegar, para crianças, e o Projeto Solidário, para carentes, acompanhou a lei Piva, que destina 2% das loterias esportivas às modalidades paraolímpicas, e escreveu o livro *A saga de um campeão.*[125]

A NECESSIDADE DE LIDAR COM OS CONSOLADORES MOLESTOS

Há consoladores molestos. São herdeiros dos amigos de Jó que, enquanto estavam calados, foram fontes de refrigério, mas quando abriram a boca, acrescentaram tormento ao já atribulado Jó.

Os consoladores molestos são loquazes. Eles, em sua falta de sabedoria e amor, pensam que são os legítimos intérpretes dos mistérios de Deus e precisam transmitir à família abalada pela perda de um ente querido o que julgam ser a verdade. Deveríamos aprender que a melhor palavra num velório é aquela que engolimos. O enlutado não está precisando ouvir um discurso, mas

---

[124] PARAÍZO, Marcos Kopeska. *Quando passamos pelo vale do luto,* p. 47,48.

[125] PARAÍZO, Marcos Kopeska. *Quando passamos pelo vale do luto,* p. 48.

sentir uma presença amiga. É impróprio e inconveniente recomendar a uma pessoa enlutada a não chorar. O próprio Filho de Deus, Jesus Cristo, chorou na sepultura do seu amigo Lázaro. Quando o meu pai morreu, no dia 1° de dezembro de 1982, muitas pessoas se aproximaram de mim para fazer longos discursos de consolação. Já estava cansado de ouvir tantas palavras jogadas ao vento. Naquela hora, não estava querendo ouvir discursos vazios, mas curtir o meu luto, relembrar os tempos vividos com meu pai e perceber quão difícil seria agora minha caminhada sem ele, meu amigo e conselheiro. Foi quando se aproximou de mim o dr. Hilton Chiste, amigo chegado, e ele me disse a coisa mais importante naquela hora de dor: "Hernandes, eu só quero lhe dizer que não estou sofrendo como você, mas estou aqui do seu lado". Sua honestidade e sabedoria acalentaram a minha alma.

Os consoladores molestos não apenas são loquazes, mas também, juízes temerários. Eles não só pensam e julgam mal, mas proclamam sua sentença apressada aos familiares já feridos pela dor da perda. Um amigo meu passou pelo vale escuro do suicídio de um filho jovem. Na noite do ocorrido, fui a sua casa para estar ao seu lado e chorar com ele. No velório, no dia seguinte, alguns desses consoladores molestos chegaram para ele e sua esposa para dizer-lhes: "Que pena, seu filho, além de morrer, perdeu a salvação". Quem somos nós para nos assentarmos no tribunal de Deus e lavrar essa sentença? Que direito temos nós de colocar mais peso sobre os ombros alquebrados daqueles que já estão consumidos pela dor? Os consoladores molestos não são amigos nem consoladores, eles são intrusos inconvenientes, verdadeiros flageladores da alma.

A NECESSIDADE DE DESCANSAR NA MISERICÓRDIA DE DEUS QUANDO NÃO TEMOS RESPOSTA

Não temos respostas para todas as questões da vida nem explicações quando alguém que amamos decide nos deixar pelo ato voluntário do suicídio. Nessas horas, o melhor a fazer não é mergulhar nosso coração na dúvida nem atormentar nossa alma com hipóteses aterradoras, mas descansar na misericórdia de Deus.

É certo que não há salvação sem arrependimento e fé em Jesus Cristo. Todavia, como já discutimos neste trabalho, muitas pessoas chegam a um ponto de desespero tal, ou sofrem de doença tão profunda que se tornam inconsequentes em seus atos. De outro lado, quem pode discernir ou perscrutar o que pode acontecer nos escaninhos da alma naqueles intermináveis segundos antes da pessoa partir deste mundo? Deus é rico em perdoar e tem prazer na misericórdia. Nem sempre aqueles que estão entediados com a vida estão longe de Deus (Jó 3:11-22). Nosso conhecimento é por demais limitado. Por isso, nas horas sombrias, quando não tivermos resposta para os dramas da vida, devemos nos assentar calados e descansar na soberania de Deus.

Nem sempre teremos resposta aos questionamentos da vida. Quando Jó perdeu seus bens, seus filhos, sua saúde, o apoio da esposa e dos amigos, ficou reduzido à mais repugnante miséria. Seu corpo encarquilhado expunha as feridas cheias de pus que o cobriam. Sentado no pó, cobria-se de cinza e raspava sua pele necrosada com cacos de telha. Mordia as bolhas cheias de pus para aliviar a dor implacável. Nesse estado de opróbrio, ele ergueu aos céus dezesseis vezes a pergunta: Por quê? Por que, meu Deus, a minha dor não cessa? Por que eu perdi meus filhos? Por que eu não morri no ventre da minha mãe? Por que eu não morri ao nascer? Por que o Senhor não me mata de uma vez? Jó berrou com todas as forças da sua alma e buscou uma resposta. No entanto, a única voz que ouviu foi o total silêncio de Deus. Naquele torvelinho de dor, ele não escutou nenhuma palavra, nenhuma resposta, nenhuma explicação.

Em vez de Deus responder aos questionamentos de Jó, quando o Senhor começou a falar, fez-lhe setenta perguntas: *Onde estavas tu, Jó, quando eu lançava os fundamentos da terra? Onde estavas tu, quando eu espalhava as estrelas no firmamento? Onde estavas tu quando eu colocava limite nas águas do mar?* Deus foi descortinando diante de Jó sua majestade e soberania e, ao fim, prostrado, Jó respondeu ao Senhor: *Bem sei eu que tudo podes, e que nenhum dos teus propósitos pode ser impedido. [...] Com os ouvidos eu ouvira falar de ti; mas agora te veem os meus olhos. Pelo que me abomino, e me arrependo no pó e na cinza* (Jó 42:2,5,6).

Quando os mistérios da vida desafiam nossa lógica e apertam o nosso coração, quando faltam respostas às nossas mais profundas indagações e o silêncio de Deus grita aos nossos ouvidos, podemos saber de uma coisa: Deus é soberano e bom. Nós podemos ficar sem respostas plausíveis, mas podemos ter uma certeza: Deus continua inabalável em seu trono de glória. Ele é o nosso Pai e tem as rédeas da nossa vida em Suas mãos. Mesmo que não entendamos todas as coisas, podemos entender que ele é Deus e sabe o que está fazendo com a nossa vida.

Quando o cientista Albert Einstein visitou a América com sua mulher, um repórter perguntou a ela: "Você compreende a complexa teoria da relatividade que tornou seu marido tão famoso no mundo?" Ela respondeu: "Eu não compreendo a teoria, mas compreendo o meu marido". Nós podemos não compreender os motivos da vida, mas podemos compreender Deus. Ele é soberano. Ele está assentado na sala de comando do universo. Ele nos ama e sabe o que está fazendo em nossa vida e por meio dela.

A necessidade de buscar ajuda

A família de um suicida sofre dois duros golpes: a perda da pessoa amada e a culpa. Três atitudes são vivenciadas nessas dolorosas circunstâncias:

Em primeiro lugar, *o isolamento.* O luto é uma dor que muitos curtem sozinhos, na caverna do isolamento. Fecham-se dentro de casa, fogem dos encontros sociais e entregam sua alma à melancolia.

Em segundo lugar, *a censura.* A censura pode vir de dentro e também de fora. Colocamo-nos a nós mesmos no tribunal e julgamo-nos com rigor desmesurado. Sentenciamo-nos a nós mesmos, de forma impiedosa, culpando-nos por não termos sido ágeis nem competentes para diagnosticar o sofrimento do outro e, assim, evitar a tragédia. Todavia, essa censura pode vir de fora, como um vendaval. Sentimo-nos acuados e encurralados pelos olhares de censura, pelas palavras de juízo, pelas atitudes de condenação daqueles que tentam nos responsabilizar pela morte daqueles a quem amamos.

Em terceiro lugar, *a vergonha*. A família de um suicida enfrenta, via de regra, grande dor e vergonha. É como se ela fosse marcada por um irremediável fracasso. É como carregar no peito a faixa de um perdedor. É beber o absinto de uma perda irreparável.

Não existe solução fácil para o drama do suicídio. Esse é um terreno sombrio e misterioso. As feridas são muito profundas, e as marcas, difíceis de ser apagadas. Nem por isso a família enlutada deve capitular ao desespero. A ajuda adequada deve ser procurada. Um acompanhamento psicológico e, sobretudo, espiritual deve ser procurado. A participação e a integração a uma igreja que ministra com fidelidade a Palavra de Deus é uma das fontes mais eficazes de consolo. A integração num grupo de estudo bíblico e de oração, onde há espaço para o compartilhamento, é outro recurso imprescindível para buscar ajuda.

A necessidade de prosseguir

Por mais duro que tenha sido o golpe sofrido na vida, precisamos continuar a caminhada. Não podemos ser enterrados com nossos mortos. Jó, mesmo depois de sepultar os seus dez filhos num mesmo dia, voltou para casa e continuou a lutar pela vida.

Devemos prosseguir, por algumas razões.

Em primeiro lugar, *devemos prosseguir por causa de Deus*. Não existe nenhuma situação da vida que possa superar a capacidade de Deus de nos restaurar. Ele é maior do que a nossa dor. Não há poço tão profundo que a graça de Deus não possa alcançar. Não há ferida tão grande que não possa sarar. Deus pode nos fazer levantar das cinzas de nossa tristeza e nos tornar uma fonte de consolação para outras pessoas. Em vez de culpar Deus pela nossa tragédia, devemos nos colocar em suas mãos para sermos canais de consolação na vida daqueles que estão atravessando o mesmo vale de dor que cruzamos.

Em segundo lugar, *devemos prosseguir por causa dos outros familiares.* Não temos o direito de desistir da vida por causa do ente querido que se foi, quando temos outros que precisam de nossa presença, nosso apoio e nosso encorajamento. Não podemos desistir de viver por causa dos mortos, se os vivos, ao nosso redor, carecem de nosso amor. Quando nos enjaulamos nos quartos escuros, cheios de desalento, ferimos não apenas a nós mesmos, mas a nossa própria família que precisa de nossa presença e de nossa mão estendida.

Em terceiro lugar, *por nossa própria causa.* Não temos o direito de desistir de viver porque alguém que amamos tomou essa decisão. Importa prosseguir, mesmo que a vida nunca mais tenha o mesmo sabor. A vida é um presente de Deus e não temos o direito de desperdiçá-la. Cada dia em que vivemos, Deus faz um investimento em nós a fim de sermos instrumentos de bênção na vida de outras pessoas. Não vivemos nem morremos para nós mesmos.

A necessidade de você entregar sua vida a Deus agora mesmo

A vida só tem sentido quando você se volta para Deus. As coisas, por melhores que sejam, não podem satisfazer sua alma. Dinheiro, conhecimento, sexo, sucesso e fama não podem preencher o vazio do coração. Você tem um vazio em seu coração com o formato de Deus. Ele colocou a eternidade em seu coração e somente o Eterno pode dar sentido a sua vida.

Essa entrega é imperativa, intransferível e impostergável. Amanhã pode ser tarde. Hoje é o dia oportuno. Nessa questão da salvação, não há ninguém neutro. Você está salvo ou perdido. Você está indo para o céu ou para a perdição. Quem não é por Cristo é contra ele. Você é livre para tomar a decisão. Aliás, segundo George Forell, eminente escritor, você é escravo de sua liberdade.[126] Você é como um homem dentro de um bote que está correndo rio abaixo à beira de um grande abismo. Você tem de tomar uma decisão. Você pode saltar do bote e remar para chegar à margem ou pode fazer de conta que não há um perigo iminente. Só uma coisa você não pode fazer: deixar de tomar uma decisão. No entanto, talvez você diga: em relação a Cristo, estou indeciso. Contudo, a indecisão também é uma decisão: é a decisão de não decidir. E quem não se decide por Cristo decide-se contra ele. Adiar essa decisão, portanto, é a mais consumada de todas as loucuras, uma vez que não podemos administrar nosso amanhã.

Em 1912, a Inglaterra estava orgulhosa de colocar o Titanic, o maior navio do mundo, nas águas do Atlântico. O engenheiro responsável pela fabricação declarou que nem Deus poderia afundar aquele navio.

---

[126] FORELL, George W. *Ética da decisão.* Rio Grande do Sul, RS: Editora Sinodal, p. 23-25.

Mais de 1.500 pessoas saíram da Inglaterra para os Estados Unidos para a viagem de seus sonhos, a bordo da luxuosa e segura embarcação. O requinte, o luxo e a segurança do Titanic, bem como a pompa exuberante dos passageiros, prometiam uma aventura maravilhosa. Todavia, o navio inexpugnável foi rasgado por um *iceberg* e centenas de pessoas morreram afogadas nas águas geladas do oceano. O navio saiu da Inglaterra, mas não chegou aos Estados Unidos. Seu destino foi o fundo do mar. Centenas de pessoas fizeram a última viagem da vida rumo à eternidade. Será que todas estavam prontas para se encontrar com Deus?

Era o dia 31 de outubro de 1996. Às 8h30, no aeroporto de Congonhas, em São Paulo, os alto-falantes anunciavam a hora do embarque do vôo 402 da TAM, ponte aérea para o Rio de Janeiro, num Fokker 100. O aeroporto estava agitado, como nos outros dias. Tudo estava normal. Homens de negócios, escritores, artistas, estudantes, empresários, médicos, engenheiros, advogados, dona-de-casa, comerciantes, conferencistas com a agenda cheia, todos se apresentavam para o embarque. Na vizinhança, o dia começava como qualquer outro.

São mais de quatrocentos vôos que chegam e saem todos os dias. O ronco das turbinas já é um som natural naqueles arredores apinhados de arranha-céus. Os vizinhos do aeroporto acordaram cedo, tomaram o café, levaram as crianças à escola. Alguns foram para o trabalho mais cedo, enquanto outros ficaram em casa, acordaram mais tarde, ligaram a televisão, conversaram, brigaram, planejaram e sonharam. Esse dia 31 de outubro de 1996 parecia um dia como os outros.

Depois que muitos já haviam desligado os celulares, marcando encontros, almoços e reuniões, eles ouviram a última chamada: "Atenção, senhores passageiros do vôo 402 da TAM com destino ao Rio de Janeiro, última chamada! Dirijam-se ao portão de embarque imediatamente. Última chamada. Embarque imediato". A porta do avião se fecha às 8h30. A comissária de bordo dá as boas-vindas aos passageiros. O comandante avisa que o tempo está bom e que espera ter uma viagem maravilhosa. A comissária de bordo fala sobre as normas internacionais de segurança enquanto quase todos leem as últimas notícias nos jornais. A aeronave começa a se mover rumo à cabeceira da pista. O comandante, a seguir, dá sua última instrução: "Tripulação, preparar para a partida". O avião arremete, começa a voar... Uma pane, uma falha... O avião não se apruma no ar. Não há tempo para fazer mais nada. O comandante ainda tenta encorajar os passageiros, mas o desespero toma conta de todos. Naquela hora, os diplomas, a riqueza, o sucesso e a fama perderam o seu valor. Todos estavam em terrível apuro. O avião fica desgovernado, cai sobre as casas e explode. Uma catástrofe. Um acidente horrível: chamas, fogo, desabamento, corpos soterrados, queimados, carbonizados. Cento e duas pessoas morreram. Aquele era o voo da morte. Aquele era um voo para a eternidade. Às 8h43, aqueles que estavam a bordo tinham acabado de voar para a presença de Deus, na eternidade, e estavam, agora, diante do Deus Todo-poderoso. Será que estavam preparados para se encontrar com Deus?[127]

---

[127] LOPES, Hernandes Dias. O *Deus desconhecido*. Santa Bárbara d'Oeste, SP: SOCEP, 1999, p. 71,72.

A um cavalheiro que agonizava num hospital foi feita a pergunta: "Para onde vai o senhor?" E a resposta foi imediata: "Eu estou no trem que me conduzirá à eternidade".[128]

Jesus falou de um homem que se preparou para viver, mas não se preparou para morrer. Ajuntou bens. Acumulou fortunas e disse: *Alma, tens em depósito muitos bens para muitos anos; descansa, come, bebe e regala-te. Mas Deus lhe disse: Insensato, esta noite te pedirão a tua alma; e o que tens preparado, para quem será?* (Lucas 12:19,20).

A única maneira de você entregar sua vida para Deus e estar preparado para a vida, para a morte e para a eternidade é depositar sua inteira confiança em Jesus Cristo, o Salvador. Jesus disse que quem nele crê tem a vida eterna (João 6:47). Mas o que é fé? A questão básica não é a fé, mas o objeto da fé. A fé não é um mero assentimento intelectual. Não adianta saber que Deus existe. Essa fé, até os demônios a têm (Tiago 2:19). A fé salvadora implica despojar-se de qualquer confiança em você mesmo, no que você é, no que você tem, no que faz ou deixa de fazer. A fé salvadora é um dom de Deus (Efésios 2:8,9) que lhe é concedida quando você confia que Jesus sofreu por você, morreu por você e comprou para você a bem-aventurança eterna.

Oswald Smith, em seu livro *Vida eterna*, conta uma façanha de Charles Blondin, o maior equilibrista do mundo, que lança luz sobre esse magno assunto. Era o dia 30 de junho de 1958. As poderosas cataratas do Niágara

---

[128] TOGNINI, Enéas. *Hora da oportunidade.* Venda Nova, MG: Editora Betânia, p. 47.

trovejavam sobre as rochas com fúria indomável. Uma corda foi esticada de margem a margem, dos Estados Unidos ao Canadá, numa extensão de quase quatrocentos metros, sobre a qual Charles Blondin haveria de atravessar. As multidões eletrizadas ajuntavam-se para assistir ao grande espetáculo. Blondin subiu sobre a corda e começou a travessia. Imperturbável e sereno, ele atravessou o grande abismo, sob os aplausos arrebatadores da entusiasmada platéia. Então, seguro e compenetrado, desafiou a multidão. Propôs atravessar novamente a corda, levando um homem às suas costas. O povo, entusiasmado, o aplaudiu, declarando que ele, de fato, era capaz de tamanha façanha. Entretanto, ninguém atendeu ao convite do equilibrista, ninguém ousou ser o corajoso voluntário.

Charles Blondin, a seguir, voltou-se para Henry Colcord, seu empresário, e perguntou-lhe:

– O senhor crê que eu posso levá-lo?

– Eu creio. De fato, não tenho dúvida a esse respeito – respondeu Colcord.

–O senhor confia em mim?

– Confio!

A multidão observava com a respiração suspensa. Eles subiram sobre a corda e caminharam sobre a tormenta. Em segurança, avançam acima das águas velozes, ferventes e cobertas de neblina. Embaixo, as rochas pontiagudas anunciavam perigo fatal. Aproximavam-se do lado canadense. Um silêncio profundo caiu sobre a multidão nervosa. O povo prendia a respiração. O pânico tomou conta de todos. Um irresponsável havia cortado uma das amarras e a corda balançou perigosamente.

Blondin disse a Colcord:

– Você não é mais o Colcord; agora você é o Blondin. Seja parte de mim. Se eu balançar, balance comigo. Não procure equilibrar-se.

Colcord subiu aos ombros do outro. A corda balançava muito e Blondin começou a correr. Como ele conseguia equilibrar-se como ninguém sabia. O último passo dado foi para terra firme, enquanto os espectadores ultrapassavam os limites do entusiasmo.

Servindo de ponte sobre o golfo entre o tempo e a eternidade está a grande corda da salvação. Ela jamais se partiu. E somente Jesus é capaz de atravessá-la. A única maneira de você atravessá-la é confiar em Jesus. É entregar-se a ele e nele crer.[129]

A necessidade de conhecer a perspectiva cristã acerca do luto

Gary Collins, em seu livro *Aconselhamento cristão*, fala sobre a perspectiva cristã do luto. Ele faz duas abordagens importantes:[130]

Em primeiro lugar, *Cristo demonstrou a importância do luto.* O cristianismo não nega a dor nem o sofrimento. Ser cristão não é viver acima das tragédias da vida. Quando Lázaro morreu, Jesus chorou em seu túmulo. No Getsêmani, Jesus ficou profundamente triste até a morte. Devemos aprender a chorar os nossos mortos, sem nos desesperarmos com a vida.

---

[129] Smith, Oswald. *Vida eterna.* São Paulo: O. S. Boyer, p. 34-36.

[130] Collins, Gary R. *Aconselhamento cristão.* São Paulo, SP: Vida Nova, 1984, p. 343,344.

Em segundo lugar, *Cristo mudou o significado do luto.* Para o cristão, o luto não é marcado pelo desespero, pois a morte não é o fim da existência nem tem a última palavra. O cristão tem uma firme convicção numa vida porvir e, por isso, não se entristece no luto como aqueles que não têm esperança (1Tessalonicenses 4:13). Cremos que a morte não é a cessação da existência, mas a separação do espírito do corpo. O corpo foi feito do pó, é pó, e volta ao pó. Mas o espírito, na hora da morte, volta a Deus que o deu (Eclesiastes 12:7). Quando um cristão morre, seu espírito é aperfeiçoado para entrar na glória (Hebreus 12:23). Morrer é deixar o corpo e habitar com o Senhor (2Coríntios 5:8). Morrer é lucro (Filipenses 1:21). Morrer é partir e habitar com Cristo, o que é incomparavelmente melhor (Filipenses 1:23). A morte para o cristão é uma bem-aventurança e um descanso das fadigas (Apocalipse 14:13). A morte é preciosa aos olhos do Senhor (Salmos 116:15). A morte foi tragada pela vitória de Cristo, pois ele ressuscitou. O aguilhão da morte foi arrancado (1Coríntios 15:20,55,56). Assim como Jesus ressuscitou, aqueles que crêem nele vão ressuscitar para a ressurreição da vida (Daniel 12:2; João 5:28,29). Teremos um corpo incorruptível, glorioso, poderoso, espiritual e celestial (1Coríntios 15:42-49), semelhante ao corpo da glória de Cristo (Filipenses 3:21). Assim, a morte para o cristão não é o fim da existência, mas a entrada na vida eterna. Devemos consolar-nos uns aos outros com essas palavras (1Tessalonicenses 4:18).

CAPÍTULO NOVE

QUESTIONAMENTOS ACERCA DO SUICÍDIO

O suicídio é um tema polêmico cercado de mistérios, dúvidas e muitos questionamentos ainda não resolvidos. Ainda há perguntas sem respostas. Tenho conversado com centenas de pessoas sobre esse intrigante tema. Eis algumas das principais perguntas que me chegam:

1. Há famílias em que o suicídio ocorre com certa frequência entre seus membros. Como explicar esse fato? Seria isso uma evidência de maldição hereditária ou de uma herança genética?

Não temos nenhuma evidência bíblica que sustente a tese de maldição hereditária em relação ao suicídio. Não temos nenhum caso registrado nas Escrituras em que mais de um membro de uma mesma família tenha ceifado sua própria vida. A teologia que enfatiza a maldição hereditária e que se tornou tão popular na última década do século passado possui, em seu bojo, alguns equívocos graves.

Em primeiro lugar, *subestima a obra redentora de Cristo na cruz.* Os defensores da maldição hereditária afirmam que pessoas já perdoadas por Deus e redimidas pelo sangue de Cristo podem ainda estar debaixo de maldição. Jesus Cristo, porém, ao morrer na cruz, fez-se maldição por nós. Nossos pecados foram cancelados, ou seja, nossa dívida foi paga de tal maneira que já nenhuma condenação há mais para aqueles que estão em Cristo Jesus. Assim, todos aqueles que estão em Cristo são novas criaturas, abençoadas com toda sorte de bênção espiritual.

Em segundo lugar, *impõe sobre as pessoas um temor infundado.* Há muitas pessoas que, ao atravessar os vales sombrios das provas amargas, encontram nesses teólogos alarmistas não o refúgio da verdade, mas o tormento do engano. Eles não são terapeutas da alma, mas consolares molestos que colocam fardos pesados sobre ombros já alquebrados pelas circunstâncias da vida.

Em terceiro lugar, *induz as pessoas ao misticismo.* Quando afirmamos que pessoas já alcançadas pela graça de Deus estão debaixo de maldição, além de anular o sacrifício de Cristo, induzimos esses indivíduos a buscar soluções mágicas em aventureiros da fé que, pretensamente, julgam ter poderes especiais para desfazer aquilo que a cruz de Cristo não foi suficiente para realizar. Ainda mais, essa prática torna os incautos dependentes desses "obreiros iluminados" que julgam possuir esses poderes especiais.

De outro lado, não há nenhuma evidência científica de que o suicídio seja um fato induzido por determinação genética. Algumas causas do suicídio, como a depressão, podem ter influência genética, mas não a prática do suicídio. A reincidência de vários casos de suicídio numa mesma família pode ser determinada pelas mesmas circunstâncias (como depressão, divórcio, falência financeira, alcoolismo etc.), mas nunca por uma predisposição genética.

2. **Como uma pessoa que tenha crido em Deus, e que tenha recebido a Jesus Cristo como Salvador pessoal, em quem o Espírito Santo habita, pode ficar deprimida a ponto de chegar ao suicídio, uma vez que o fruto do Espírito é alegria e paz?**

A depressão, assim como o suicídio, tem várias causas. O simplismo com que alguns escritores tratam o assunto é deveras preocupante. T. L. Osborne, preclaro evangelista contemporâneo, comete um grave equívoco ao tratar toda sorte de doença da mente como ação demoníaca. O ilustre escritor americano Jay Adams restringe a depressão apenas à questão do pecado. Contudo, hoje, está mais do que provado que a depressão é uma doença da mente precisa ser tratada como tal. Ignorar isso é um grave erro.

Àqueles que insistem em negar a possibilidade de uma pessoa cheia do Espírito Santo ficar deprimida, perguntamos: como um indivíduo cheio do Espírito Santo pode também ter miopia e precisar usar óculos? Como uma pessoa cheia do Espírito Santo pode ter um problema cardíaco e precisar fazer uma ponte safena? Como um indivíduo habitado pelo Espírito Santo pode ter um problema renal? É a mesma coisa! Não podemos fazer essa dicotomia, separando a mente do corpo.

A depressão não necessariamente tem a ver com a crença pessoal ou com a espiritualidade. Uma pessoa cheia do Espírito Santo pode sofrer severa depressão, como o profeta Elias que desejou a morte, ou como o poeta inglês William Cowper, que chegou a ponto de tentar o suicídio. Ao longo da História, homens de Deus, cheios do Espírito Santo, sofreram de depressão como David Brainerd, John Bunyan, Charles Spurgeon, Charles Finney. A depressão é uma doença que precisa ser tratada com remédio, com terapia e com fé. Reduzir a depressão apenas ao contexto da espiritualidade é mascarar o problema e agravar a condição do paciente. É uma atitude irresponsável sugerir a um paciente depressivo que abandone seus remédios para aplicar-se apenas à oração. Muitas pessoas, por seguirem os falsos conselhos de falsos pastores, chegam ao suicídio, pois suspendem os medicamentos indispensáveis ao tratamento da sua enfermidade.

3. Um suicida pode ir para o céu?

Ao longo dos séculos, os suicidas foram tratados com desdém e preconceito. Na Antiguidade, eles tinham sua memória execrada e seus bens confiscados. Na Idade Média, a Igreja não lhes oferecia um enterro cristão. Todo suicida era visto como um discípulo de Judas Iscariotes. Daí, nasceu a idéia de que não há salvação para quem ceifa sua própria vida. Contudo, lançar todas as pessoas que se matam na mesma vala comum de Judas Iscariotes é uma injustiça e uma temeridade. Judas não foi para o inferno porque se matou, mas porque não era convertido. Ele era apóstolo, mas não era salvo. Sua vida nunca foi transformada, seu coração nunca foi convertido. Ele era ladrão. Depois de trair a Jesus por trinta moedas de prata, ele não deu provas de arrependimento; antes, entregou-se ao remorso. Em vez de fugir da morte para Deus, fugiu de Deus para a morte.

Suicídio e salvação não são realidades mutuamente exclusivas. Não afirmamos que todo suicida está salvo. Isso é puro engano. A salvação não é recebida pela prática das boas obras nem pela ausência deste ou daquele pecado. A salvação nos é dada pela graça de Deus, mediante a fé em Cristo. O que afirmamos é que uma pessoa salva pode chegar a tal estado de enfermidade mental, a tal grau de depressão, a tal pressão psicológica a ponto de desesperar-se da própria vida e suicidar-se. Conhecemos vários casos de pessoas crentes e piedosas que deram brilhante testemunho de vida, que jamais negaram sua fé e que, quando enfrentaram uma depressão severa ou uma doença mental grave, tiraram a própria vida. A Bíblia diz que nem os loucos errarão o caminho (Isaías 35:8). A Escritura é clara em afirmar que nem a morte pode nos separar do amor de Deus (Romanos 8:38). Nenhum homem, igreja ou concílio têm competência de assentar-se no trono do juízo e determinar o destino eterno de uma pessoa. Somente Deus, o reto e justo juiz, tem essa autoridade intransferível.

4. Se a salvação é uma dádiva de Deus que não se perde, como fica o caso de uma pessoa que se diz salva, mas, em estado de depressão, tira a sua própria vida, quebrando assim o sexto mandamento da lei de Deus, que diz: "Não matarás"?

Essa não é uma questão simples. Temos de ter humildade para saber nossa limitação. Há verdades claras nas Escrituras para as quais podemos ter posicionamentos seguros. Todavia, há questões difíceis de discernir. É claro que uma pessoa que viveu toda a vida sem arrependimento e sem se voltar para Deus, deixando de depositar sua confiança em Cristo e, nessa situação, tira a sua própria vida, está fechando atrás de si a porta da esperança. Não há salvação fora de Jesus. Ele é o único mediador entre Deus e os homens. Ele é o único caminho para Deus. Ele é a única porta do céu. Ele é o único Salvador.

Outra verdade incontestável ensinada na Bíblia é que a salvação não se perde. Uma vez salvo, sempre salvo. Uma pessoa não pode estar salva de manhã, e perdida à tarde. Não pode ser filho de Deus de manhã, e filho do diabo à noite. Não pode ser cidadão do céu de manhã e um filho do inferno no outro dia. O mesmo Deus que escolhe também chama, justifica e glorifica. Não há nenhuma pessoa, nenhuma circunstância ou situação neste mundo nem no vindouro que possa reverter essa obra de Deus por nós e em nós.

O que determina a salvação de uma pessoa não é a abstenção deste ou daquele pecado, mas confiar exclusiva e totalmente em Cristo como Salvador e Senhor. A base da segurança da salvação não depende do que fazemos, mas do que Cristo fez por nós na cruz. Se dependesse de nós, oscilaríamos continuamente entre a realidade da salvação e da perdição. Contudo, não é isso que a Bíblia ensina. Podemos ter garantia e certeza da vida eterna já, aqui e agora. Por conseguinte, ainda que uma pessoa salva, por causa de uma depressão severa, chegue a ponto de ceifar sua vida, transgredindo o sexto mandamento, isso não anula a perfeita e eficaz obra de Cristo realizada na cruz a seu favor.

5. Que cuidados devemos ter com um membro da família que sinaliza, por meio de palavras e de gestos, que está desanimado com a vida e flertando com a morte?

Não podemos subestimar os sinais emitidos por aqueles que falam em suicídio. A vasta maioria daqueles que se matam dá antes claros sinais de suas intenções. O que a família deve fazer para ajudar aqueles que emitem esses sinais?

Em primeiro lugar, *identificar quais as causas que estão gerando essa situação.* Essas causas podem ser autógenas ou exógenas, internas ou externas. Podem ser sentimentos ou circunstâncias. A aproximação, a sensibilidade e o diálogo são os melhores caminhos para uma prevenção inicial. O medo de tocar no assunto pode retardar uma conversa que pode salvar uma vida. Censurar a pessoa ou lançar sobre ela o peso da culpa em nada ajuda na solução do problema. Normalmente, uma pessoa que está inclinada a tirar a própria vida está buscando mais alívio da dor do que flertando com a morte. Em última instância, ela não quer morrer, mas viver.

Em segundo lugar, *demonstrar um profundo amor pela pessoa que está emitindo esses sinais.* O amor é o maior antídoto contra o desespero existencial. Um gesto de amor vale mais do que mil palavras. A presença silenciosa embebida de compaixão é melhor do que exortações moralistas. Os amigos de Jó calados eram fonte de consolo; mas assim que fizeram seus arrazoados tornaram-se consoladores molestos. Uma pessoa fragilizada ou deprimida não precisa de censura, mas de companhia.

Em terceiro lugar, *buscar ajuda profissional.* Andrew Solomon, cuja mãe se suicidou – e ele mesmo também tentou suicídio algumas vezes, pois é assolado periodicamente por severas crises de depressão – diz que o tratamento da depressão deve incluir: remédio, terapia e fé. O primeiro passo da cura é o diagnóstico. Buscar a ajuda certa, com a pessoa certa, na hora certa é da mais alta importância. Quando uma pessoa tem um problema cardíaco grave não basta buscar um conselheiro, é preciso consultar um cardiologista. Quando as artérias do coração estão entupidas, não adianta tomar remédio, é preciso passar por uma cirurgia cardíaca de emergência. Uma pessoa deprimida precisa consultar um médico psiquiátrico. A medicação certa, na dose certa e na hora certa é vital para o êxito do tratamento. A diferença entre o remédio e o veneno é a dose. Mesmo que a medicação esteja certa, se a dose estiver errada, o paciente pode morrer. Precisamos entender que a depressão é uma doença e deve ser tratada como tal, sem nenhum preconceito ou tabu. O acompanhamento com um terapeuta competente é extremamente importante no tratamento. Além disso, é preciso associar ao tratamento da mente a terapia da alma. O remédio trata a doença e o terapeuta, o doente, mas só Deus pode restaurar-lhe a alma.